Mappa Guid[illegible] Roma

MAP OF RO[illegible]AN DE ROME
STADTPLAN V[illegible] - PLANO DE ROMA
К[illegible]А РИМА

ELENCO STRADALE
LINEE AUTOTRAMVIARIE
MUSEI E GALLERIE
ALBERGHI - RISTORANTI

STREET LIST
BUS LINES
MUSEUMS AND GALLERIES
HOTELS - RESTAURANTS

LISTE ROUTIÈRE
LIGNES DES BUS
MUSÉES ET GALERIES
HOTELS - RESTAURANTS

STRASSENVERZEICHNIS
BUS-UND STRASSENBAHNLINIEN
MUSEEN UND GALERIEN
HOTELS - RESTAURANTS

ELENCO DE CALLES
LINEAS AUTOTRAMVIARIAS
MUSEOS Y GALERIAS - HOTELES
RESTAURANTES

ПЕРЕЧЕНЬ УЛИЦ
АВТОБУСНО ТРАМВАЙНЫЕ ЛИНИИ
МУЗЕИ И ГАЛЕРЕИ
ГОСТИНИЦЫ - РЕСТОРАНЫ

• INDEX • SOMMAIRE • INHALT • ÍNDICE • СОДЕРЖАНИЕ

INDICE

Il Vaticano

È da circa sei secoli (1377) la residenza dei Papi poiché, prima del trasferimento della corte pontificia ad Avignone (1309-1377), la sede del papato era il Laterano. Sulla cattedra di San Pietro si sono

succeduti in linea ininterrotta 266 pontefici. La città del Vaticano è uno Stato indipendente retto dal Sommo Pontefice e delimitato dalle Mura Leonine.

The Vatican

It has been the residence of the Popes for about six centuries (since 1377). In fact, before the transfer of the Pontifical Court to Avignon (1309-1377), the Papal seat was at the Lateran. 266 Popes have sat on the throne of St. Peter in an uninterrupted line. Vatican city is an indipendent State ruled by the Supreme Pontiff (the Pope).

Le Vatican

C'est la résidence des Papes depuis environ six siècles (1377). Le St-Siège était au Latéran jusqu'à son transfert en Avignon (1309-1377). Sur la Chaire de St-Pierre se sont assis déjà 266 Pontifes. La Cité du Vatican est un État indépendant, gouverné par le Pape.

Der Vatikan

Seit ungefähr sechs Jahrhunderten (1377) ist er die Residenz der Päpste. Vor der Verlegung des päpstlichen Hofs nach Avignon (1309-1377) war nämlich der Lateran der Sitz des Papstes. Auf dem Stuhl Petri saßen bisher in ununterbrochener Folge 266 Päpste. Die Vatikanstadt ist ein unabhängiger Staat, der Papst ist das Staatsoberhaupt.

El Vaticano

Desde el año 1377, aproximadamente, es la residencia de los Papas. Antes del

traslado de la corte pontificia a Aviñón (1309-1377) la sede del papado era el Letrán. Sobre la cátedra de S. Pedro se han sentado ininterrumpidamente 266 Pontifices. La ciudad del Vaticano es un Estado independiente regido por el sumo Pontífice.

Ватикан

Он служит резиденцией Римских пап около шести столетий (1377). До перенесения папского престола в Авиньон (1309-1377) папская резиденция была в Латеране. На престоле святого апостола Петра непрерывно восседало 266 пап. Град Ватикан – это независимое государство, возглавляемое Римским папой. Он огражден стеной времен Льва IV, так называемой «Леонина».

IL VATICANO ***Piazza S. Pietro***
(Vedi pianta - See map AB - 6)
Bus*: 23 - 32 - 49 - 62*
64 - 81 - 492
982 - 990 - 991
Tram: *19* M *Linea A*
(Ottaviano-S. Pietro-Musei Vaticani)

Piazza San Pietro

Piazza San Pietro

Questa piazza, che è la più vasta di Roma, misura m. 240 di larghezza e m. 340 di lunghezza. Nel centro si eleva un bellissimo obelisco egiziano alto m. 25, sulla cui sommità figura una croce che si dice racchiuda la reliquia della vera croce di Cristo. Lo splendido colonnato che circonda la piazza è opera del Bernini, così come le 140 statue di Santi che lo decorano.

St. Peter's square

This square, which is the most imposing in Rome, is 240 metres wide by 340 metres long. In the centre stands a wonderful obelisk 25 metres high. A cross, which is said to contain the relic of the Holy Cross, stands on its top. The beautiful colonnade that surrounds the place was realized by Bernini as well as the 140 statues of Saints that adorn it.

Place St-Pierre

Cette place qui est la plus vaste de Rome, mesure 240 mètres de largeur sur 340 de longeur. Au centre s'élève un superbe obélisque égyptien haut de 25 mètres sur le sommet duquel il y a une croix renfermante, croit-on, la relique de la vraie croix de Jésus Christ. La merveilleuse colonnade qui entoure la place est un travail de Bernini ainsi que les 140 statues des Saints qui la décorent.

Petersplatz

Er ist der größte Platz in Rom und ist 240 m breit und 340 m tief. In seiner Mitte erhebt sich ein wunderschöner ägyptischer Obelisk, der 25 m hoch ist. Das Kreuz auf seiner Spitze soll eine echte Reliquie des Kreuzes Christi enthalten. Die herrliche Kolonnade, die den Platz einfasst, ist ein Werk Berninis, ebenso die 140 Heiligenstatuen, die sie schmücken.

Plaza de San Pedro

Esta plaza, que es la más grande de Roma, mide 240 mts. de ancho por 340 mts. de largo. En el centro se eleva un magnifico obelisco egipcio de 25 mts. de alto, sobre cuya cúspide se halla una cruz que, se dicen, contiene la reliquia de la verdadera cruz de Jesucristo. La esplendida columnata que circunda la plaza, es obra de Bernini, como también las 140 estatuas de los Santos que la decoran.

Площадь св. Петра

Это самая большая площадь в Риме, ее размеры: 240 м. ширины и 340 м. длины. В центре возвышается красивый египетский обелиск высотой в 25 метров. На его вершине помещен крест, внутри которого хранится частица настоящего Креста Христова. Великолепная колоннада, окружающая площадь и украшающие ее 140 статуй святых были выполнены Бернини.

PIAZZA SAN PIETRO
(Vedi pianta - See map AB - 6)
***Bus**: 23 - 32 - 49 - 62*
64 - 81 - 492
982 - 990 - 991
***Tram:** 19*
M *Linea A*
(Ottaviano-S. Pietro-Musei Vaticani)

Cappella Sistina

Fu eretta dall'architetto Giovanni de' Dolci per Sisto IV nel 1470. Gli affreschi che la decorano furono iniziati nel 1481. Nel 1508 Giulio II ordinò al giovane Michelangelo di dipingere il soffitto della Sistina. Il gigantesco lavoro ebbe inizio nel maggio 1508 e terminò nel giorno dei Morti dell'anno 1512, ventritré anni prima che il grande artista cominciasse il "Giudizio Universale". Dal 1980 ha avuto inizio un arduo lavoro di restauro della durata di circa dieci anni.

Sistine Chapel

It was built by architect Giovanni de' Dolci for Sixtus IV in 1470.The frescoes that decorate it were begun in 1481. In 1508 Julius II ordered young Michelangelo to paint the Chapel vault. The gigantic task was begun on May 1508 and finished on November the 2nd, 1512, that is twenty-three years after the great artist began the "Last Judgment". In 1980 the Chapel has been restored: this great work lasted about ten years.

Chapelle Sixtine

Elle fut erigée en 1470 par l'architecte Giovanni de' Dolci pour Sixte IV. Les fresques qui la décorent ont été commencées en 1481. En 1508 Julius II donna l'ordre au jeune Michelangelo de peindre le plafond de la Chapelle Sixtine. Le grand artiste commença ce travail ardu en 1508 en le terminant en 1512, le jour des Morts, vingt-trois ans avant que le "Jugement Dernier" ne soit mis en chantier. Un travail décennal de restauration, commencé en 1980, a rendu à la Chapelle sa splendeur originelle.

Sixtinische Kapelle

Sie wurde 1470 von Baumeister Giovanni de' Dolci für Papst Sixtus IV. erbaut. Mit den Fresken, die sie ausschmücken, wurde 1481 begonnen. 1508 beauftragte Papst Julius II. den jungen Michelangelo mit der Ausmalung ihrer Gewölbedecke. Er begann diese gewaltige Arbeit im Mai 1508 und brachte sie

am 2. November 1512 zum Abschluss; 23 Jahre später nahm der großartige Künstler das "Jüngste Gericht" in Angriff. 10-jährige Restaurierungsarbeiten (ab 1980) haben der Kapelle wieder ihren ursprünglichen Glanz verliehen.

Capilla Sixtina

Fue erigida por el arquitecto Giovanni de' Dolci para Sixto IV, en 1470. Los frescos que la decoran fueron comenzados en 1481. En 1508, Julio II ordenó al joven Michelangelo que pintara el techo de la Capilla Sixtina. El gigantesco trabajo fue comenzado en mayo del 1508 y terminado en el día de los difuntos del año 1512, veintitrés años antes del inicio del "Juicio Universal". En el año 1980 se inició un gigantesco trabajo de restauración que duró aproximadamente 10 años.

Сикстинская Капелла

Она была построена архитектором Джованни де' Дольчи для Сикста IV в 1470 г., а украшающие ее фрески были начаты в 1481. В 1508 г. Юлий II заказал молодому Микеланджело расписать свод Капеллы. В мае 1508 г. он начал этот гигантский труд и закончил его в День Поминовения усопших 1512 г., за 23 года до того, как великому художнику было поручено начать роспись «Страшного суда». В 1980 году началась сложная работа по реставрации Капеллы, которая длилась десять лет.

CAPPELLA SISTINA
(MUSEI VATICANI)
(Vedi pianta - See map A - 5)
Bus: *23 - 32 - 49 - 81*
492 - 982 - 990 - 991
Tram: *19* M *Linea A*
(Ottaviano-S. Pietro-Musei Vaticani)

Castel Sant'Angelo

Castel Sant'Angelo

Anticamente era denominato Mole Adriana perché costruito dall'Imperatore Elio Adriano per farne la tomba imperiale. Nel castello venivano rinchiusi prigionieri famosi. Clemente VII si rifugiò nel Mausoleo e vide i furti e i sacrilegi attuati dalle truppe

dell'Imperatore Carlo V nel 1527. Attualmente, in questo monumento, si trova un museo artistico e militare.

St. Angel Castle

Anciently it was called Adrian's Mausoleum because it had been built by the Emperor Adrianus to be his imperial tomb. Famous prisoners were shut up in the Castle. Clemente VII took shelter in the castle and witnessed the horrible thefts and sacrileges made by the troops of Emperor Carlo V in 1527. Today it is an important museum of art and military history.

Château St. Ange

Le château St. Ange était autrefois dit Môle d'Adrien du nom de l'Empereur Hélio Adrien qui l'avait commendée pour en faire son tombeau impérial. Beaucoup de fameux prisonniers furent enfermés dans le Château. Clemente VII se refugia dans le Mausolée et vit les vols et les sacrilèges realisés par les troupes de l'Empereur Carlo V en 1527. Actuellement on peut y visiter un musée artistique et militaire.

Engelsburg

In römischer Zeit trug sie den Namen "Mausoleum des Hadrian" nach Kaiser Hadrian (2. Jh. n.Chr.), der es als kaiserlichen Grabbau hatte errichten lassen. Die Engelsburg war das Gefängnis berühmter Persönlichkeiten. Papst Klemens VII. fand im Mausoleum Zuflucht und sah von hier aus die 1527 von den Truppen Kaisers Karls V. begangenen

Plünderungen und Kirchenschändungen. Heute befindet sich hier ein Kunst- und militärgeschichtliches Museum.

Castillo del Santo Ángel

Antiguamente fue denominado mausoleo de Adriano porque edificado por el Emperador Adriano, que lo destinó como lugar de su sepultura. En el Castillo fueron encerrados prisioneros famosos. Clemente VII se refugió en el mausoleo y vió los robos y sacrilegios de las tropas del Emperador Carlos V en el 1527. Actualmente, allí, se encuentra un museo artístico y militar.

Замок Св. Ангела

В древности он назывался Мавзолеем Адриана, поскольку был сооружен императором Гелием Адрианом, чтобы сделать в нем свою императорскую могилу. В замке когда-то заключались известные узники. Папа Климент VII скрывался в Мавзолее, откуда наблюдал за грабежом и кощунством войск императора Карла V в 1527 г. В данный момент в нем находится художественный и военный музей.

CASTEL SANT'ANGELO

Piazza Adriana

(Vedi pianta - See map C - 5-6)

Bus: *23 - 34 - 40 - 46 - 49 - 62 - 64 98 - 115 - 116 - 280 - 492 - 870 - 881 916 - 982 - 990 -* M *Linea A (Lepanto)*

Il Colosseo

Il Colosseo

Questo immenso anfiteatro, i cui resti imponenti permettono tuttora di poterne ammirare l'antico splendore, fu iniziato da Vespasiano nel 72 d. C. e portato a termine da suo figlio Tito nell'80. I prigionieri ebrei furono impiegati nella sua costruzione. Il suo vero nome è "Anfiteatro Flavio" e poteva contenere più di 50.000 spettatori. La facciata è scandita da tre ordini di arcate, ognuna ornata da colonne, rispettivamente, in stile dorico, ionico e corinzio.

The Colosseum

This immense amphitheatre, of which we still admire the ancient splendour, was begun by Vespasian in A.D. 72 and finished by his son Titus in A.D. 80. Jewish prisoners were employed in its construction. Its real name is "Flavian Amphi-theatre", and it could contain more than 50.000 spectators. Around the exterior run three orders of arches, respectively adorned with Doric, Ionic and Corinthian pilasters.

Le Colisée

Cet immense amphithéâtre, dont les restes imposants permettent de se faire une idée de son antique splendeur, fut commencé par Vespasien dans l'an 72 ap. J.C. et terminé dans l'an 80 par son fils Titus. Ce furent les prisonniers juifs qui furent employés à sa construction. Son véritable nom est "Amphithéâtre Flavien", et il pouvait contenir plus de 50.000 spectateurs. La façade est ornée de trois ordres d'arcades, ornée respectivement de demicolonnes d'ordre dorique, ionique et corinthien.

Das Kolosseum

Dieses prächtige Bauwerk, dessen gewaltige Reste noch immer seinen antiken Glanz erahnen lassen, wurde 72 n.Chr. unter Vespasian begonnen und im Jahre 80 von seinem Sohn Titus vollendet. Zu seinem Bau wurden auch jüdische Kriegsgefangene herangezogen. Sein eigentlicher Name ist "Flavisches Amphitheater" und es konnte über 50.000 Zuschauer fassen. Die Außenfassade ist in drei Arkadengeschoße gegliedert, die dorische, ionische und korinthische Halbsäulen schmücken.

El Coliseo

Este inmenso anfiteatro, cuyos imponentes restos, permiten todavía admirar su antiguo esplendor, fue comenzado por Vespasiano en el año 72 d.C. y terminado por su hijo Tito en el año 80. En su construcción fueron empleados los prisioneros hebreos. Su verdadero nombre es "Anfiteatro Flavio", y tenía una capacidad de más de 50.000 espectadores. Los arcos son 80 en cada orden, intercalados con semicolumnas de orden dórico, jónico y corintio.

Колизей

Этот грандиозный амфитеатр, чьи впечатляющие остатки все еще позволяют любоваться античным великолепием, был начат Веспасианом в 72 г. по Р.Х. и закончен его сыном Титом в 80 г. В его строительстве принимали участие и еврейские пленники. Его настоящее название: «Амфитеатр Флавия». Он мог вместить более 50.000 зрителей. Фасад состоял из трехъярусных аркад, каждая украшенная, соответственно, дорическими, ионическими и коринфскими колоннами.

IL COLOSSEO
Piazza del Colosseo
(Vedi pianta - See map F - 8)
Bus: *51 - 75 - 81 - 85 - 87*
117 - 673 - 810
Tram: *3* **M** *Linea B (Colosseo)*

Il Foro Romano

Foro Romano

Il Foro Romano è il luogo più celebre dell'antica Roma. Qui si svolgeva la vita pubblica d'allora, i comizi, le feste, le cerimonie. Tuttavia oggi si vedono i resti dei monumenti di tutte le epoche. Danneggiato da un

incendio nel 283, fu restaurato da Diocleziano, ma dal IV secolo iniziò a decadere seguendo la sorte di Roma.

Roman Forum

The Roman Forum is the most celebrated place in ancient Rome. It was the centre of the Roman life where its meetings, festivals, and ceremonies took place. There are to be seen the remains of the ancient Temples of all ages. It was damaged by a fire in 283 and restored by the Emperor Diocletian. From the fourth century AD it began to fall into decay - echoing the fate of Rome itself.

Forum Romain

Le Forum Romain est l'endroit le plus célèbre de l'ancienne Rome. C'est là que se déroulait et se manifestait sa vie publique; les comices, les révoltes, les fêtes et les cérémonies: c'était, en somme, le coeur de la ville. On y voit encore les restes des monuments de tous les âges. Endômmagé par un incendie en 283, il a été restauré par l'Empereur Diocletien mais, depuis le IVème siècle, en suivant le sort de Rome, il commença à être en décadence.

Forum Romanum

Es ist der berühmteste Ort des antiken Roms. Hier spielte sich das öffentliche Leben jener Zeit ab, fanden die Komitien statt, die Feste und Zerimonien. Heute sieht man hier die Überreste von Bauwerken aus allen Epochen. Nach dem Brand des Jahres 283 ließ Diokletian das Forum

Romanum restaurieren, im 4. Jahrhundert jedoch begann sein Niedergang, ein Schicksal, das es mit Rom teilte.

Foro Romano

El Foro romano es el más célebre de la antigua Roma. Aquí se desarrollaba la vida pública de aquel tiempo, los mítines, las fiestas y las ceremonias. Todavía, hoy se pueden ver los restos de los monumentos de todas las épocas. Dañado por un incendio en el 283, fue restaurado por Diocleciano, pero desde el siglo IV comenzó a decaer, siguiendo la suerte de Roma.

Римский Форум

Римский Форум был известным местом древнего Рима. Здесь проходила общественная жизнь того времени, митинги, празднества и церемонии. И сегодня все еще видны остатки памятников всех эпох. Поврежденный пожаром в 283 году, он был восстановлен Диоклетианом, но в IV веке начал приходить в упадок, следуя за судьбой Рима.

FORO ROMANO
Via dei Fori Imperiali
(Vedi pianta - See map E - 7)
Bus: *51 - 75 - 85 - 87*
117 - 810
M *Linea B (Colosseo)*

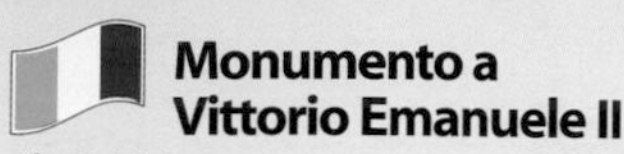

Monumento a Vittorio Emanuele II

Monumento a Vittorio Emanuele II

Il Monumento a Vittorio Emanuele II (detto anche "Vittoriano"), ultimato nel 1911 per celebrare l'Unità d'Italia, fu disegnato da Giuseppe Sacconi (1885-1911). Sorge alla base del Campidoglio, nel cuore di Roma, ed è di chiaro sapore neoclassi-

co. Sotto la statua della dea Roma si trova la Tomba del Milite Ignoto.

Monument to Victor Emmanuel II

This monument (called also "Vittoriano"), was designed by Count Giuseppe Sacconi in order to celebrate the unity of Italy. It was begun in 1855 and inaugurated in 1911. It rises at the foot of the Capitol and it is late neo-classic in style. Under the statue of the goddess Rome there is the Tomb of the Unknown Soldier.

Monument à Victor Emmanuel II

Le Monument à Victor Emmanuel II (appelé aussi "Vittoriano") a été dessiné par le Comte Giuseppe Sacconi pour célébrer l'unité de l'Italie. Il s'élève aux pieds du Capitole, en plein coeur de Rome. Sous la statue de Rome, il y a la Tombe du Soldat Inconnu.

Denkmal für Viktor Emanuel II.

Das 1911 zu den Feierlichkeiten der Einigung Italiens fertig gestellte Denkmal für König Viktor Emanuel II. (auch "Viktorianum" genannt) hatte Giuseppe Sacconi im Jahre 1885 entworfen. Dieses eindeutig klassizistische Bauwerk erhebt sich im Herzen Roms am Fuße des Kapitols. Unter der Statue der Dea Roma befindet sich das Grab des Unbekannten Soldaten.

Monumento a Victor Manuel II

El monumento a Victor Manuel II (llamado también "Victoriano"), concluido en el 1911 para celebrar la Unidad de Italia, fue dibujado por Giuseppe Sacconi (1885-1911). Se eleva sobre la

base del Capitolio, en el corazón de Roma, y es de marcado estilo neoclásico. Debajo de la Estatua de Roma está la tumba del Soldado Desconocido.

Он вырос у подножия Капитолийского холма, в центре Рима, и явно носит неоклассический оттенок. Под статуей богини Ромы находится Могила Неизвестного солдата.

Памятник Виктору Эммануилу II

Памятник Виктору Эммануилу II (называемый также «Викториан»), законченный в 1911 году по случаю празднования Объединения Италии, был спроектирован Джузеппе Саккони (1885-1911).

MONUMENTO A VITTORIO EMANUELE II

Piazza Venezia (Vedi pianta See map DE - 7) - **Bus:** *H - 30 - 40 44 - 46 - 51 - 60 - 62 - 63 - 64 - 70 80 - 81 - 83 - 85 - 87 - 117 - 160 170 - 492 - 628 - 715 - 716 780 - 781 - 810 - 916* - **Tram:** *8*

Il Campidoglio

La piazza del Campidoglio fu disegnata da Michelangelo (1534-1549), che vi alzò, su un nuovo piedistallo, la statua equestre di Marco Aurelio, la sola che ci sia pervenuta fra tante statue equestri in bronzo che abbellivano Roma. A sinistra, il Palazzo del Museo Capitolino, che ospita un'importante raccolta di sculture; in fondo, il Palazzo Senatorio.

The Capitol

Capitol square was designed by Michelangelo (1534-1549). The old artist placed on a new pedestal the equestrian statue of Marco Aurelio, the only

one of the many bronze equestrian statues once adorning Rome that survived. On the left is the palace of the Capitoline Museum, with an important collection of sculptures; at the end of the square there is the Senatorial Palace.

Le Capitole

La place du Capitole fut dessinée par Michelangelo (1534-1549). Le vieil artiste hissa sur un nouveau piédestal la statue équestre de Marco Aurelio, la seule qui soit parvenue jusqu'à nous des nombreuses statues équestres en bronze qui embellissaient Rome. A gauche il y a le Palais du Musée Capitolin où l'on trove une remarquable collection de sculptures; au fond on peut voir le Palais Sénatorial.

Das Kapitol

Der Kapitolsplatz wurde 1534 von Michelangelo entworfen. In seine Mitte stellte der Künstler die Reiterstatue Mark Aurels, die uns als einzige der vielen bronzenen Reiterstatuen, die einst Rom geschmückt hatten, erhalten geblieben ist. Auf der linken Seite der Palazzo Nuovo, der Sitz der Kapitolinischen Museen mit

seiner bedeutenden Sammlung antiker Skulpturen, im Hintergrund der Senatorenpalast.

El Capitolio

La plaza del Capitolio fue diseñada por Michelangelo que levantó sobre un nuevo pedestal la estatua ecuestre de Marco Aurelio, la única que es llegada de tantas estatuas ecuestres en bronce que embellecían Roma. A la izquierda el Palacio del Museo Capitolino, con una importante colección de esculturas; al fondo, el Palacio Senatorial.

Капитолий

Проект Капитолийской площади был сделан Микеланджело (1534-1549), который поставил на новом пьедестале конную статую Марка Аврелия, единственную, найденную среди множества других бронзовых конных статуй, украшавших Рим. Слева Дворец с Капитолийским музеем, в котором хранится важная коллекция скульптур; в глубине - Сенаторский дворец.

IL CAMPIDOGLIO
Piazza del Campidoglio
(Vedi pianta - See map E - 7)
***Bus:** H - 30 - 40*
44 - 46 - 51 - 60 - 62 - 63 - 64 - 70
80 - 81 - 83 - 85 - 87 - 117 - 160
170 - 492 - 628 - 715 - 716
*780 - 781 - 810 - 916 - **Tram:** 8*

Trinità dei Monti

La prima cosa che colpisce é l'incantevole, monumentale scalinata dell'architetto De Santis (1722) sulla cui sommità domina la Chiesa della SS. Trinità dei

Monti, caratterizzata dai due campanili (1495). Davanti alla facciata si erge un obelisco, rinvenuto negli Orti Sallustiani nel 1808. Ai piedi della scalinata, si adagia la fontana della "Barcaccia" eseguita nel 1629 da Pietro Bernini, padre del famoso scultore e architetto Gian Lorenzo.

Trinità dei Monti

The first thing that strikes us are the charming monumental steps (1722) at whose top there is the church of SS. Trinità dei Monti with its two beautiful belfries (1495). An obelisk, found in the gardens of Sallust in 1808, rises in front of the church. At the foot of the steps, prettily lies the fine fountain of the "Barcaccia" erected in 1629 by Pietro Bernini, the father of the famous sculptor and architect Gian Lorenzo.

Trinité des Monts

La première chose qui frappe sur cette place est la merveilleuse rampe d'escaliers construite en 1722 par l'architecte De Santis au sommet de laquelle on peut admirer l'église de la Trinità dei Monti, caracterisée par ses deux clochers (1495). Devant la façade, il y a un obélisque qui fut retrouvé en 1808 dans les jardins de Salluste. Au bas de l'escalier de la Trinità de' Monti, on peut voir la fontaine de la "Barcaccia" executée en 1629 par Pietro Bernini, père du fameux sculpteur et architecte Gian Lorenzo.

Trinità dei Monti

Was an der Piazza di Spagna am meisten beeindruckt, ist sicher die bezaubernde, prächtige Treppe, ein Werk des Architekten De Sanctis (1723), über der die Kirche Trinità dei Monti mit ihren beiden Kuppeltürmen thront (1495). Vor ihrer Fassade ragt ein 1808 in den Gärten des Sallust aufgefundener

Obelisk empor. Zu Füßen der Spanischen Treppe der "Barcaccia" (Boot)-Brunnen, eine Arbeit von Pietro Bernini (1629), dem Vater des berühmten Bildhauers und Architekten Gian Lorenzo.

Trinidad de los Montes

Lo primero que atrae nuestra atención, es la sugestiva y monumental escalinata (1722), en cuya cima domina la iglesia de la santisima Trinità dei Monti, con las dos campanarios (1495) y delante de la fachada un obelisco que fue hallado en los huertos Salustianos en 1808. En la plaza de España (Piazza di Spagna), a los pies de la escalinata, se halla la grandiosa fuente de la "Barcaccia", obra de Pietro Bernini, padre del famoso arquitecto y escultor Gian Lorenzo que la realizó en 1629.

Тринита дей Монти (Троица на Горах)

Первое, что поражает, это монументальная чарующая лестница архитектора Де Сантис (1722), ведущая к Церкви Пресвятой Троицы на Горах с двумя колокольнями (1495). Перед фасадом высится обелиск, найденный в садах Саллустиани в 1808 году. У подножья лестницы расположен фонтан «Лодочка», выполненный в 1629 году Пьетро Бернини, отцом знаменитого скульптора и архитектора Джан Лоренцо.

TRINITÀ DEI MONTI

Piazza di Spagna

(Vedi pianta - See map E - 5)

Bus: *53 - 62 - 63 - 71 - 80 - 83*
85 - 116 - 117 - 160 - 492

M *Linea A (Spagna)*

Il Pantheon

Pantheon

Questo tempio è l'unico monumento in stile classico rimasto integro a Roma. L'iscrizione nella cornice del portico "M. Agrippa L. F. Cos. tertium fecit", si riferisce ad un Tempio edificato dal Console Agrippa, nel 27 a.C., e da lui dedicato alle divinità tutelari della famiglia Giulia. L'attuale costruzione risale al 117-125 d.C. sotto l'Imperatore Adriano: essa custodisce le tombe di Raffaello e dei re d'Italia.

Pantheon

This temple is the only monument in classical style which can be found intact in Rome. The inscription on the architrave of the portico "M. Agrippa L. F. Cos. tertium fecit", refers to a temple erected by Agrippa, in 27 B.C., who dedicated it to the tutelary divinities of the Julia family. The present construction was remodelled in 117-125 A.D. under the Emperor Hadrian.

This monument contains the tombs of Raphael and the kings of Italy.

Panthéon

Ce temple est le seul monument en style classique resté intact à Rome. L'inscription que l'on peut lire sur le fronton du portique "M. Agrippa L. F. Cos. tertium fecit", se réfère au temple érigé par le Consul Agrippa, pendant l'année 27 av. J.-C., qui le dédia aux divinités tutélaires de la famille Julienne. La construction actuelle remonte aux ans 117-125 ap. J.-C. et elle fut erigée sous l'Empereur Hadrien. C'est ici que l'on trouve les tombes de Raphael et des rois d'Italie.

Pantheon

Es ist das einzige Bauwerk klassischen Stils, das sich in Rom vollständig erhalten hat. Die Inschrift am Gesims der Säulenvorhalle "M. Agrippa L. F. Cos. tertium fecit" besagt, dass Konsul M. Agrippa den Tempel 27 v.Chr. hat errichten lassen und den Schutzgöttern der Familie Julia geweiht hat. Das heutige Bauwerk stammt aus den Jahren 117 bis 125 n.Chr., der Zeit des Kaisers Hadrian: hier befinden sich die Grabmäler Raffaels und der Könige Italiens.

Pantéon

Este templo es el más perfecto monumento romano de estilo clásico que existe en esta ciudad. La inscripción que se ve en la cornisa del pórtico "M. Agrippa L. F. Cos. tertium fecit", se refiere a un templo erigido por Agrippa en el año 27 a.C. a las divinidades tutelares de la familia Julia. Este templo fue destruido por un incendio en el año 80 d.C. La construcción actual se remonta al 117-125 d.C. bajo el Emperador Adriano y tiene en custodia las tumbas de Rafael y de los Reyes de Italia.

Пантеон

Это единственно полностью сохранившийся памятник классического стиля в Риме. Надпись на карнизе портика «M. Agrippa L. F. Cos. Tertium fecit» сообщает о том, что «Храм был построен консулом Агриппой в 27 году до Р.Х. и посвящается им божествам-покровителям семьи Юлии. Современное здание восходит к 117-125 гг. по Р. Х., в правление императора Адриана: в нем находятся могилы Рафаэля и королей Италии.

PANTHEON
Piazza della Rotonda
(Vedi pianta - See map D - 6)
Bus: *30 - 40 - 46 - 62 - 63 - 64*
70 - 81 - 87 - 116 - 492 - 628 - 780
810 - 916 ***Tram:*** *8*

Piazza Navona

Piazza Navona

E' detta anche Circo Agonale ed è una delle più vaste e notevoli piazze di Roma. Essa occupa l'area dell'antico Circo di Domiziano di cui conserva la forma originale. La piazza è abbellita da tre fontane tra le quali spicca quella centrale, opera del Bernini. Questa è ornata da quattro statue che rappresentano il Danubio, il Gange, il Nilo e il Rio de la Plata.

Navona Square

It is also called Agonal Circus and is one of the largest and most remarkable squares in Rome. It occupies the area of the ancient Circus of Domitian still preserving its original form. Three fountains embellish the square. The most beautiful is the one in the middle, a work of Bernini. It is adorned with four statues which represent the Danube, The Ganges, The Nile and the Rio de la Plata.

Place Navone

Nommée aussi Cirque Agonale, elle est une des places les plus grandioses et renommées de Rome. Elle occupe l'emplacement de l'ancien cirque de Domitien dont elle conserve la forme primitive. Trois fontaines en font le plus bel ornement: celle du milieu, la plus remarquable, est due à Bernini. Elle se décore de quatre statues représentant le Danube, le Gange, le Nil et le Rio de la Plata.

Piazza Navona

Der Platz wird auch Circo Agonale genannt und ist einer der größten und bemerkenswertesten Plätze Roms. Er nimmt die Fläche des antiken Circus des Domitian ein und hat dessen Form beibehalten. Den Platz verschönern drei Brunnen, von denen der mittlere, ein Werk Berninis, ins Auge fällt.

Diesen schmücken vier Statuen: sie stellen die Donau, den Ganges, den Nil und den Rio de la Plata dar.

Plaza Navona

Una de la más grande y admirable plaza de Roma. Esta plaza ocupa la zona del antiguo Circo de Domiciano del cual conserva la forma original. Tres fuentes adornan ésta plaza, de las cuales la más linda es aquella en el centro, obra de Bernini. La fuente es adornada de cuatro estatuas que representan: el Danubio, el Gange, el Nilo y el Rio de la Plata; en el medio se erige un obelisco egipcio de mármol.

Площадь Навона

Названная «Ареной состязаний», она представляет одну из самых больших и известных площадей Рима. Она занимает место древнего Цирка Домициана, от которого сохранилась первоначальная форма. Площадь украшают три фонтана, среди которых выделяется центральный, работы Бернини. Украшающие его четыре статуи представляют реки: Дунай, Ганг, Нил и Рио де ла Плата.

PIAZZA NAVONA
(Vedi pianta - See map C - 6)
Bus: *30 - 40 - 46 - 62 - 63 - 64 - 70*
81 - 87 - 116 - 492
628 - 780 - 810 - 916 - ***Tram:*** *8*

Fontana di Trevi

Fontana di Trevi

Questo monumento è celebre non solo per la sua acqua eccellente, ma anche per la leggenda secondo la quale chi la beve o chi getta una monetina nella vasca, si assicura il ritorno a Roma. La fontana, opera dell'architetto Salvi (1735) sotto il pontificato di Clemente XII, fu decorata da diversi artisti della scuola del Bernini. Al centro, sotto un'ampia

arcata, si può ammirare la gigantesca statua mitologica di Oceano su di un cocchio tirato da cavalli marini condotti da Tritoni.

Fountain of Trevi

It is not only celebrated for its excellent water but also for the legend that whoever drinks it or throws a coin in the fountain, assures his return to Rome. The fountain was built by the architect Salvi (1735) in the time of Clement XII, and decorated by several artists of Bernini's school. In the centre, under a wide niche, stands the gigantic mythological statue of Ocean riding on a scallop shell drawn by sea-horses and driven by Tritons.

Fontaine de Trévi

Elle est connue non seulement pour ses eaux excellentes, mais aussi pour la tradition qui veut que tous ceux qui auront bu de son eau ou qui auront jeté une pièce de monnaie dans son bassin, seront certains de revenir un jour ou l'autre à Rome. La fontaine, oeuvre de l'architecte Salvi (1735), fut bâtie sous le pontificat de Clément XII et fut décorée par de nombreux artistes de l'école du Bernini. Au centre, sous une ample arcade, se dresse la gigantesque statue mythologique de Neptune triomphant sur un char ailé, tiré par des chevaux marins conduits par Triton.

Trevibrunnen

Er ist nicht nur wegen seines ausgezeichneten Wassers bekannt, sondern auch wegen des Glaubens, nach dem jeder, der sein ausgezeichnetes Wasser trinkt oder eine Münze in das Becken wirft, wieder nach Rom zurückkehren wird. Der Brunnen ist ein Werk des Baumeisters Salvi (1735) im Pontifikat des Papstes Klemens XII., verschiedene Künstler der Schule Berninis

trugen zu seiner Gestaltung bei. Unter der großen Arkade in der Mitte steht die gewaltige mythologische Gestalt des Okeanos auf einem Muschelwagen, den von Tritonen geführte Seepferde ziehen.

Fontana de Trevi

Esta fuente es célebre no solo por su agua excelente, sino también por la leyenda; en efecto, ésta dice que la persona que la bebe o quien lanza una moneda en la pila, puede estar segura que volverá a Roma. Esta fuente es obra del arquitecto Salvi (1735), bajo el Pontificado de Clemente XII, y fue decorada por varios artistas de la escuela de Bernini. En el centro, bajo los amplios arcos, la gigantesca estatua mitológica de Océano, en un carro tirado por caballos marinos, guiados por Tritones.

Фонтан «Треви»

Этот памятник известен не только своей великолепной водой, но и легендой, согласно которой тот, кто выпьет его воду или бросит монетку в фонтан, вернется в Рим. Фонтан, сооруженный архитектором Сальви (1735) в понтификат папы Климента XII, был украшен разными скульпторами школы Бернини. В центре, под широкой аркадой, стоит гигантская мифологическая статуя Океана на карете, запряженной морскими конями, которыми управляют Тритоны.

FONTANA DI TREVI

Piazza di Trevi

(Vedi pianta - See map E - 6)

Bus: *53 - 62 - 63*
71 - 80 - 83 - 85 - 116 - 117
160 - 492 - 590

M *Linea A (Barberini)*

San Giovanni in Laterano

E' la cattedrale di Roma. Fondata da Costantino col titolo di Basilica del Salvatore, sotto il Pontificato di S. Silvestro (314-335), fu più volte distrutta e riedificata: la Basilica attuale risale al XVII sec. L'imponente

facciata in travertino fu costruita nel 1735 da Alessandro Galilei. Le porte di bronzo furono tolte dalla Curia al Foro e trasportate nella Cattedrale per ordine di Alessandro VII (1655-1667).

St. John in Lateran

It is the Cathedral of Rome. Founded by Constantine and called the "Basilica of the Saviour" during the time of St. Silvester (314-335), it has been destroyed and rebuilt several times: the actual Basilica dates from the seventeenth century. The imposing façade in travertine was constructed in 1735 by Alessandro Galilei. The bronze doors were taken from the Curia, in the Forum, and brought to the Cathedral by order of Alessandro VII (1655-1667).

Saint Jean de Latran

Elle est la Cathédrale de Rome. Elle fut créé par Constantin sous le Pontificat de St. Sylvestre (314-335), sous le vocable de "Basilique du Sauveur". Elle fut détruite et reconstruite plusieurs fois: la Basilique actuelle est du XVIIème siècle. L'imposante façade en travertin fut construite en 1735 par Alessandro Galilei. Les portes en bronze furent enlevées de la Curie, au Forum, et transportées dans la Cathédrale par ordre de Alessandro VII (1655-1667).

St. Johann im Lateran

Die Stammkirche Roms wurde im Pontifikat des hl. Papstes Sylvester (314-335) von Kaiser Konstantin als "Basilika des Erlösers" gestiftet, mehrfach zerstört und wieder aufgebaut: die heutige Basilika geht auf das 17. Jahrhundert zurück. Die eindrucksvolle Travertinfassade

gestaltete 1735 Alessandro Galilei. Papst Alexander VII. (1655-1667) ließ die Bronzeportale von der Kurie am Forum Romanum entfernen und an der Basilika anbringen.

San Juan de Letrán

Catedral de Roma. Fundada por Constantino con el título de "Basilica del Salvador" bajo el Pontificado de San Silvestre (314-335), fue varias veces destruida y reedificada. La Basilica actual, remonta al siglo XVII. La imponente fachada de travertino fue construida en el 1735 por Alessandro Galilei. Las puertas de bronce fueron sacadas (por la Curia) al Foro, y llevadas a la Catedral por orden de Alessandro VII (1655-1667).

Собор св. Иоанна в Латеране

Это кафедральный собор Рима. Заложенный Константином в понтификат Святого Сильвестра (314-335) с титулом Базилики Спасителя, он неоднократно разрушался и восстанавливался. Современный собор восходит к XVII веку. Внушительный фасад из травертина был сооружен в 1735 году Алессандро Галилеи. Бронзовые двери были взяты из Курии в Форуме и перенесены в Собор по приказу папы Александра VII (1655-1667).

S. GIOVANNI IN LATERANO

Piazza S. Giovanni in Laterano
(Vedi pianta - See map G - 8) ***Bus:*** *16*
51 - 81 - 85 - 87 - 117 - 218
650 - 665 - 673 - 714 - 717 - 792
Tram: *3* **M** *Linea A (S. Giovanni)*

Santa Maria Maggiore

Santa Maria Maggiore

Ubicata nella popolare zona dell'Esquilino, questa Basilica è la quarta tra le grandi chiese di Roma e la maggiore di tante altre dedicate alla Vergine. E' la sola Basilica che, nonostante alcuni rifacimenti, ha mantenuto la forma e le caratteristiche originali. Fu fondata da Papa Liberio nel IV sec. nel punto dove, secondo un'antica tradizione, si sarebbe verificata una miracolosa nevicata estiva. L'evento è tuttora ricordato con una spettacolare nevicata artificiale che si svolge ogni anno in una notte d'agosto.

St. Mary Major

Situated in the popular area of the Esquiline hill, this Basilica is the fourth of the great churches of Rome and the largest among the many others dedicated to the Virgin. It is the only Basilica that, in spite of some restructuring, has maintained its original form and characteristics. It was founded by Pope Liberius in the IV century on the spot where, according to an ancient tradition, a miraculous summer snowstorm had taken place. The event is still commemorated with a spectacular artificial snowfall that takes place every year on an August night.

Sainte-Marie-Majeure

Située dans le quartier populaire de l'Esquilino, cette Basilique est la quatrième des grandes églises de Rome et la plus grande parmi celles dédiées à la Vierge. Elle est la seule Basilique qui, malgré certains remaniements, a maintenu la forme et les caractéristiques originelles. Elle fut fondée au IVème siècle par le Pape Liberio sur le lieu où, suivant une ancienne légende, il se mit à neiger miraculeusement en plein été. Chaque année, l'évènement est encore fêté par une surprenante chute de neige artificielle durant une nuit du mois d'août.

Santa Maria Maggiore

Diese Basilika liegt im volkstümlichen Viertel Esquilin. Sie ist die viertgrößte in Rom und die größte aller Kirchen, die der Jungfrau Maria geweiht sind. Sie ist die einzige Basilika, die trotz verschiedener Umbauten ihre alte Gestalt und ursprünglichen Charakter bewahrt hat. Ihr Grundstein wurde im 4. Jahrhundert von Papst Liberius an der Stelle gelegt, wo es einer alten Überlieferung nach durch ein Wunder im Sommer geschneit haben soll. Dieses Ereignis wird noch heute alljährlich in einer Nacht im August mit einem eindrucksvollen künstlichen Schneefall gefeiert.

Santa María la Mayor

Ubicada en la popular zona del Esquilino, esta Basílica es la cuarta iglesia más grande de Roma y la mayor entre muchas otras dedicadas a la Virgen. Es la única Basílica que, a pesar de algunas reconstrucciones, ha mantenido la forma y las características originales. Fue fundada por el papa Liberio en el s. IV en el lugar donde, según cuenta una antigua tradición, habría nevado milagrosamente en verano. El hecho aún se recuerda con una nevada artificial que se celebra cada año en una noche de agosto.

Собор Пресвятой Девы Марии «Великой»

Собор, находящийся в популярной части Эсквилинского холма, считается четвертой большой церковью Рима и главной среди других, посвященных Пресвятой Деве. Несмотря на некоторые переделки, этот собор сохранил свою форму и первоначальные характеристики. Он был основан папой Либерием в IV веке на том месте, где, по древнему преданию, свершилось чудо летнего снегопада. Это событие еще и сегодня вспоминается спектаклем с искусственным снегопадом, который проводится ежегодно в один из августовских вечеров.

SANTA MARIA MAGGIORE

(Vedi pianta - See map FG - 7)
Bus: *16 - 50 - 70 - 71 - 75 - 105 - 150 360 - 649 - 590 - 714 - 717*
Tram: *5 - 14* M *Linea A - B (Termini)*

San Paolo

Questa Basilica fu eretta dove"l'apostolo delle genti"ebbe sepoltura. Fu l'Imperatore Costantino a farla erigere, ma fu interamente rifatta ed ampliata verso la fine del IV sec.: nell'iscrizione dello splendido mosaico dell'arco trionfale si legge che "Teodosio la iniziò, Onorio la finì e sotto Leone I (440-461), Placidia la restaurò e decorò". Questa maestosa Basilica, una delle meraviglie del mondo, fu quasi totalmente distrutta da un incendio nel 1823. Venne ricostruita nel 1854 sulle stesse fondamenta da Pio IX, secondo l'"originario disegno.

St. Paul

This Basilica was built where the"apostle of the gentiles" was buried. It was erected by the Emperor Constantine, but was completely rebuilt and extended towards the end of the IV century: in the inscription of the wonderful mosaic of the triumphal arch we read that "Theodosius began it, Onorius finished it and, under Leo I (440-461), Placidia restored and decorated it". This majestic Basilica, one of the wonders of the world, was almost totally destroyed by fire in 1823. It was rebuilt in 1854 on the same foundations by Pius IX, according to the original design.

Saint-Paul

Cette Basilique fut érigée sur le lieu où se trouve la sépulture de "l'apôtre des hommes" sous l'ordre de l'Empereur Constantin mais fut complètement reconstruite et agrandie vers la fin du IVème siècle: l'inscription du splendide mosaïque de l'arc de triomphe nous dit que "Teodosio en commença la construction, Onorio la finit et sous Léon I (440-461), Placidia la restaura et la decora". Cette majestueuse Basilique, une des merveilles du monde, fut presque totalement détruite par un incendie en 1823. Elle fut reconstruite en 1854 par le Pape Pio IX sur les mêmes fondations et suivant le dessin originel.

St. Paul

Diese Basilika ließ Kaiser Konstantin über der Grabstätte des"Apostels der Völker" errichten, aber sie wurde gegen Ende des 4. Jahrhunderts vollständig erneuert und erweitert: in der Inschrift des herrlichen Mosaiks am Triumphbogen ist zu lesen, dass "Theodosius den Bau begann, Honorius ihn vollendete und Placidia ihn unter Leo I. (440-461) restaurierte und ausschmückte". Diese majestätische Basilika, eines der Weltwunder, wurde 1823 durch einen Brand fast vollständig zerstört. Papst Pius IX. ließ sie 1854 auf den

alten Fundamenten und nach dem ursprünglichen Plan wieder aufbauen.

San Pablo

Esta Basílica fue erigida en el lugar de sepultura del "apóstol de las gentes". Fue el Emperador Constantino quien la hizo erigir, pero fue completamente reconstruida y ampliada hacia fine del s. IV: en la inscripción del espléndido mosaico del arco triunfal se lee que "Teodosio la comenzó, Onorio la terminó y bajo León I (440-461), Placidia la restauró y la decoró". Esta majestuosa Basílica, una de las maravillas del mundo, fue casi totalmente destruida por un incendio en 1823. Pio IX la reconstruyó en 1854 sobre los mismos cimientos, según el proyecto original.

Собор Святого Павла

Собор Святого Павла был воздвигнут на месте захоронения «апостола язычников». Строительство его было начато Константином, а в конце IV века он был полностью переделан и расширен. На триумфальной арке надпись, выполненная великолепной мозаикой, гласит: «Феодосий начал, Гонорий закончил, а при папе Льве I Плацидия реставрировала и украсила его». Этот величественный собор, один из чудес мира, был почти полностью уничтожен пожаром в 1823 году. В 1854 г. был восстановлен папой Пием IX по первоначальному плану на том же фундаменте.

SAN PAOLO
Piazzale San Paolo
(Vedi pianta - See map D - 12)
Bus: *23 - 128 - 669 - 670*
766 - 769 - 770 - 792
M *Linea B (Basilica San Paolo)*

CURIOSITÀ *di Roma*

Unusual things to see in Rome
Curiosités de Rome › Wißenswertes Über Rom
Curiosidad de Roma - Достопримечательности Рима

7 RE DI ROMA

SEVEN KINGS OF ROME - LES SEPT ROIS DE ROME - DIE SIEBEN KÖNIGE ROMS - LOS SIETE REY DE ROMA - СЕМЬ ЦАРЕЙ РИМА

753 a.C. - 716 a.C.	ROMOLO
715 a.C. - 672 a.C.	NUMA POMPILIO
672 a.C. - 640 a.C.	TULLO OSTILIO
640 a.C. - 616 a.C.	ANCO MARZIO
616 a.C. - 579 a.C.	TARQUINIO PRISCO
578 a.C. - 535 a.C.	SERVIO TULLIO
534 a.C. - 509 a.C.	TARQUINIO IL SUPERBO

PORTE DI ROMA

GATES IN THE WALLED CITY OF ROME - LES PORTES DE ROME STADTTORE ROMS - LAS PUERTAS DE ROMA - ВОРОТА РИМА

PORTA DEL POPOLO
PORTA PINCIANA
PORTA COLLINA
PORTA PIA
PORTA SAN LORENZO
PORTA MAGGIORE
PORTA SAN GIOVANNI
PORTA METRONIA
PORTA LATINA
PORTA SAN SEBASTIANO
PORTA ARDEATINA
PORTA SAN PAOLO (PORTA OSTIENSE)
PORTA PORTESE
PORTA SAN PANCRAZIO
PORTA SETTIMIANA
PORTA CAVALLEGGERI
PORTA SANTO SPIRITO
PORTA PERTUSA
PORTA ANGELICA
PORTA CASTELLO

PORTE E COLLI DI ROMA

THE GATES AND HILLS OF ROME - LES PORTES ET LES COLLINES DE ROME - DIE STADTTORE UND HÜGEL ROMS - LAS PUERTAS Y LAS COLINAS DE ROMA - ВОРОТА И ХОЛМЫ РИМА

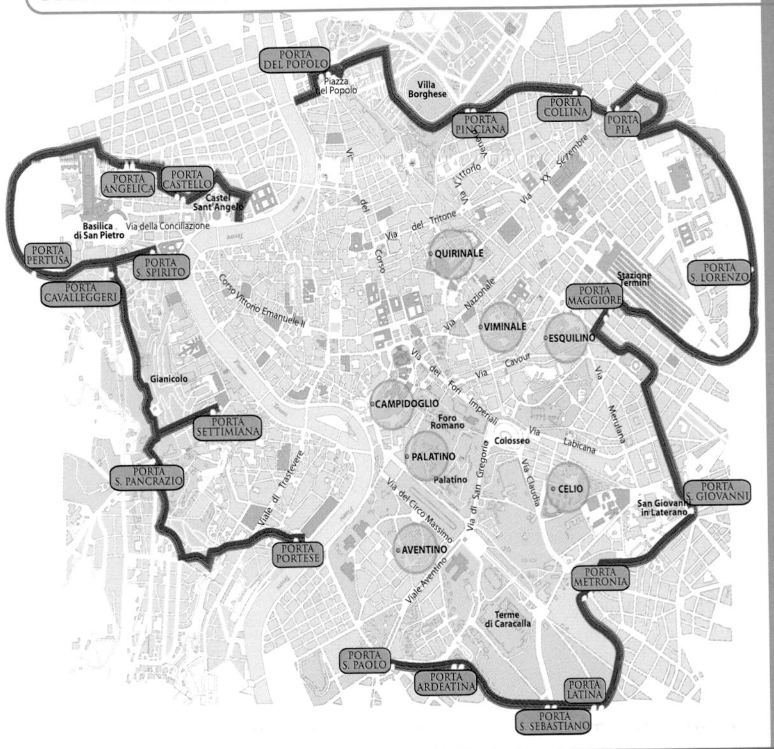

7 COLLI DI ROMA

THE SEVEN HILLS OF ROME - LES SEPT COLLINES DE ROME - DIE SIEBEN HÜGEL ROMS - LAS SIETE COLINAS DE ROMA - СЕМЬ ХОЛМОВ РИМА

AVENTINO

CAMPIDOGLIO

CELIO

ESQUILINO

PALATINO

QUIRINALE

VIMINALE

PASSEGGIATE *Romane*

Roman Walks › Promenades Romaines
Römische Spaziergänge
Paseos Romanos
Римские прогулки

1. SAN PIETRO

È il più vasto santuario di tutta la Cristianità, con le statue dei principali fondatori degli ordini religiosi sulle nicchie della navata esterna, lunga 211, 5 m. La lunghezza dell'interno della basilica è di 186, 36 m. La piazza esterna, cinta dal maestoso colonnato del Bernini, misura 240 m. x 340; al centro si erge un bellissimo obelisco egizio. La facciata esterna della Basilica, alla cui estrema destra si trova la Porta Santa, è opera del Maderno, come una delle due fontane poste sulla piazza (l'altra è di C. Fontana). Nei Musei del Vaticano si trova la celebre Cappella Sistina, il cui soffitto fu maestosamente dipinto da Michelangelo (1508-1512). Dopo 23 anni, lo stesso artista realizzò un'altra grandiosa opera: Il Giudizio Universale

2. LA CUPOLA

Fu progettata e parzialmente realizzata da Michelangelo, che ne dipinse anche l'interno (800 m^2); caratterizzata da frontoni centinati e da una doppia calotta con nervatura a raggiera, è alta 132,5m.

Le due cupole inferiori situate agli angoli del transetto sono opera del Vignola

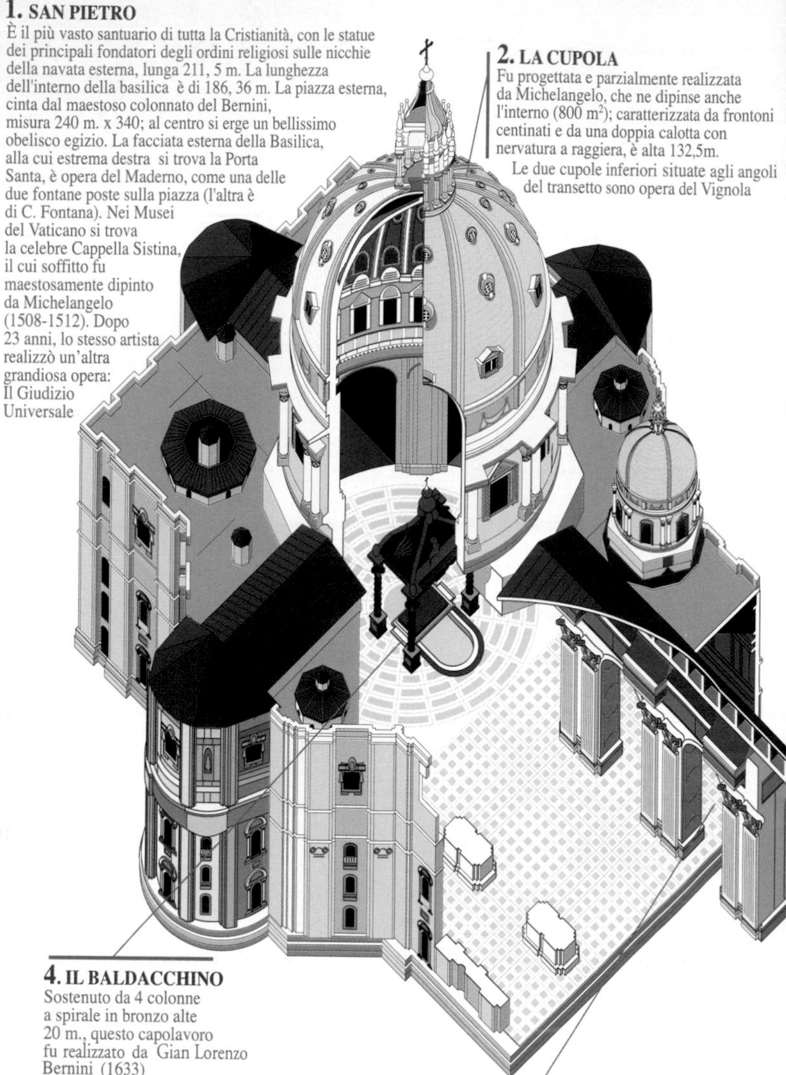

4. IL BALDACCHINO

Sostenuto da 4 colonne a spirale in bronzo alte 20 m., questo capolavoro fu realizzato da Gian Lorenzo Bernini (1633)

3. LA PIETA'

Nella prima cappella della navata destra, si puo' ammirare "La Pietà" di Michelangelo che fu scolpita tra il 1498 e il 1499

San Pietro

1. It is the largest shrine of all Christianity and it stands in a huge square enclosed by a stately colonnade, which is Bernini's most beautiful work and forms the solemn entrance to St. Peter's and the Vatican.
2. The dome, 132,5 meters high, was designed and partly built by Michelangelo who was already quite old when he began the project in 1546, and when he died in 1564 only the drum had been completed. The rest of the work was finished between 1588 and 1589 by G. Della Porta and D. Fontana.
3. "La Pietà" by Michelangelo can be admired in the first chapel of the right aisle. It was sculpted between 1498 and 1499.
4. This work by G. L. Bernini (1633) is supported by four bronze spiral columns.

1. Le plus vaste sanctuaire de toute la Chrétienté domine une immense place entourée d'une majestueuse colonnade.
2. La Coupole, conçue et en partie réalisée par Michelangelo qui décora l'intérieur, est haute de 132,5 mètres. Les deux coupoles inférieures sont du Vignola.
3. Dans la première chapelle de la nef droite vous pouvez admirer "La Pietà" de Michelangelo.
4. Le Baldaquin est soutenu par quatre colonnes en bronze en spirale. Le chef-d'œuvre fut realisée par le G. L. Bernin (1633).

1. Das größte Heiligtum der Christenheit erhebt sich an einem Platz von beträchtlichen Ausmaßen, den eine majestätische Kolonnade einfasst.
2. Sie wurde von Michelangelo entworfen und zu einem Teil ausgeführt; er malte sie auch aus. Die beiden kleineren Kuppeln sind ein Werk Vignolas.
3. In der ersten Kapelle des rechten Seitenschiffs kann man die von Michelangelo 1498/99 geschaffene "Pietà" bewundern.
4. Dieses von vier gewundenen, 20 m hohen Bronzesäulen getragene Meisterwerk wurde von Bernini vollendet (1633).

1. Ubicado en una inmensa plaza rodeada por una majestuosa columnata, el Vaticano es el santuario más grande de toda la cristianidad.
2. La cúpula, de 132,5 mts. de alto, fue proyectada y realizada en parte por Michelangelo, quien también pintó el interior de esta. Las dos cúpulas de abajo fueron realizadas por el Vignola.
3. En la primera capilla de la nave derecha se encuentra "La Pietà" de Michelangelo.
4. Esta obra de arte, sostenida por cuatro columnas de bronce en espiral, fue realizada por el G. L. Bernini (1633).

1. Длина самого внушительного святилища всего христианства, вместе со статуями основателей главных религиозных орденов, помещенных в нишах центрального нефа, 211,5 м. Размеры внешней площади Собора, окруженной величественной колоннадой Бернини, 240 м. х 340; в центре ее высится красивый египетский обелиск.
2. Высота спроектированного и частично осуществленного Микеланджело купола, который расписал его также и внутри (800 кв. м.), с дугообразными фронтонами, в виде двойной калотты и лучеобразной нервюрой, составляет 132,5 м. Два меньших купола, находящиеся в углах трансепта, выполнено Виньолой.
3. (Оплакивание Христа) В первой капелле правого нефа можно восхищаться Пьетой Микеланджело (1499).
4. Этот шедевр, поддерживаемый 4 спиральными колоннами из бронзы высотой в 20 м. был выполнен Бернини (1633).

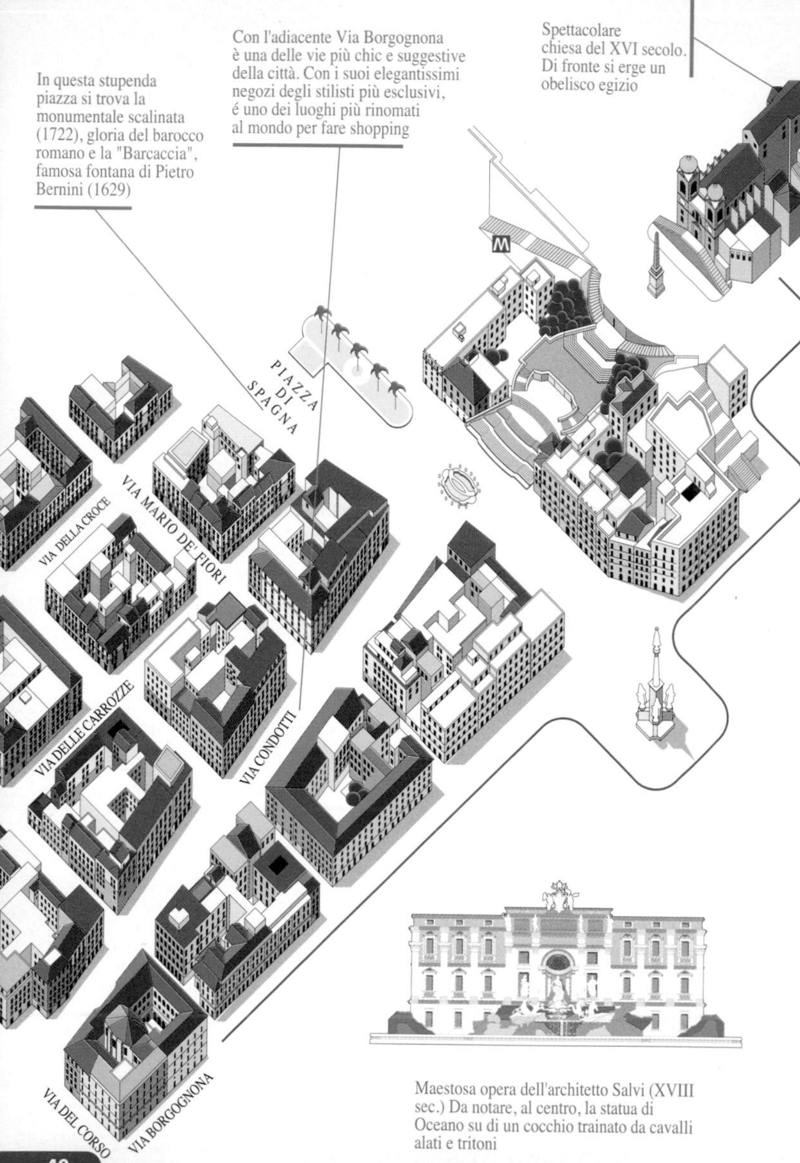
In questa stupenda piazza si trova la monumentale scalinata (1722), gloria del barocco romano e la "Barcaccia", famosa fontana di Pietro Bernini (1629)
Con l'adiacente Via Borgognona è una delle vie più chic e suggestive della città. Con i suoi elegantissimi negozi degli stilisti più esclusivi, é uno dei luoghi più rinomati al mondo per fare shopping
Spettacolare chiesa del XVI secolo. Di fronte si erge un obelisco egizio
M
PIAZZA DI SPAGNA
VIA DELLA CROCE
VIA MARIO DE' FIORI
VIA DELLE CARROZZE
VIA CONDOTTI
VIA DEL CORSO
VIA BORGOGNONA
Maestosa opera dell'architetto Salvi (XVIII sec.) Da notare, al centro, la statua di Oceano su di un cocchio trainato da cavalli alati e tritoni

Piazza di Spagna

1. Two striking ornaments in this beautiful square are the monumental Baroque steps (1722) and Barcaccia Fountain, a work by Pietro Bernini (1629).
2. Its buildings and houte-couture shops make Via Condotti one of the most elegant and picturesque streets in Rome.
3. It is a fine sixteenth-century church. In front of it stands an Egyptian obelisk which was taken from the Sallustian gardens in 1789. Inside the Church, the masterpiece of D. Da Volterra, the famous fresco of the Descent from the cross.
4. Architect Salvi designed it in 1735. In the centre, note the statue of Ocean on a shell drawn by sea horses and tritons; in the lateral niches, Abudance (on the left), and Health (on the right), both by F. Della Valle.

1. Superbe place où se trouve un escalier monumental baroque (1722) et la Barcaccia, fontaine de P. Bernin (1629).
2. Une des rues les plus élégantes et les plus fascinantes de la ville. Avec ses magasins de grands couturiers, c'est l'un des lieux les plus renommés du monde pour le shopping
3. Eglise spectaculaire du XVIème siècle. En face, se dresse un obélisque égyptien.
4. Oeuvre majestueuse de l'architecte Salvi (XVIIIème siècle). Au centre, on peut remarquer la statue qui représente Océan sur un coche traîné par des chevaux ailés et par des tritons.

1. An diesem herrlichen Platz liegt die monumentale Spanische Treppe (1722) und der berühmte "Barcaccia"-Brunnen von Pietro Bernini (1629).
2. Eine der chicsten und faszinierendsten Straßen der Stadt. Mit ihren ausgesprochen eleganten Geschäften der exklusivsten Moderschöpfer zählt sie zu den berühmtesten Einkaufsstraßen der Welt.
3. Eine großartige Kirche aus dem 16. Jahrhundert. Vor ihr erhebt sich ein ägyptischer Obelisk.
4. Ein eindrucksvolles Werk des Baumeisters Salvi (18. Jh.). Beachtenswert in der Mitte die Gestalt des Okeanos auf einem Muschelwagen, den von Tritonen geführte geflügelte Pferde ziehen.

1. Estupenda plaza en la que se encuentra la monumental escalinata barroca (1722) y la Barcaza, famosa fuente realizada por P. Bernini (1629).
2. Una de las calles más chic y sugestivas de la ciudad. Con sus elegantes tiendas de los modistas más exclusivos, es uno de los lugares de compras más famosos del mundo.
3. Espectacular iglesia del s. XVI. Frente a ella, se encuentra un obelisco egipcio.
4. Obra majestuosa del arquitecto Salvi (s. XVIII). Es de observar, al centro de ella, la estatua de Océano sobre una carroza tirada por caballos alados y tritones.

1. На этой прелестной площади Испании находятся монументальная лестница (1722), слава римского барокко, и «Лодочка» - знаменитый фонтан П. Бернини (1629).
2. Вместе с соседней улицей Боргоньоной она считается одной из шикарных и очаровательных улиц города. Со своими элегантными магазинами наиболее знаменитых стилистов, это одно из самых известных мест в мире для покупок.
3. Красивая церковь XVI века. Перед ней высится египетский обелиск.
4. Величественная работа архитектора Сальви (XVIII век). Достойна внимания, в центре, статуя Океана в карете, запряженной крылатыми конями и тритонами.

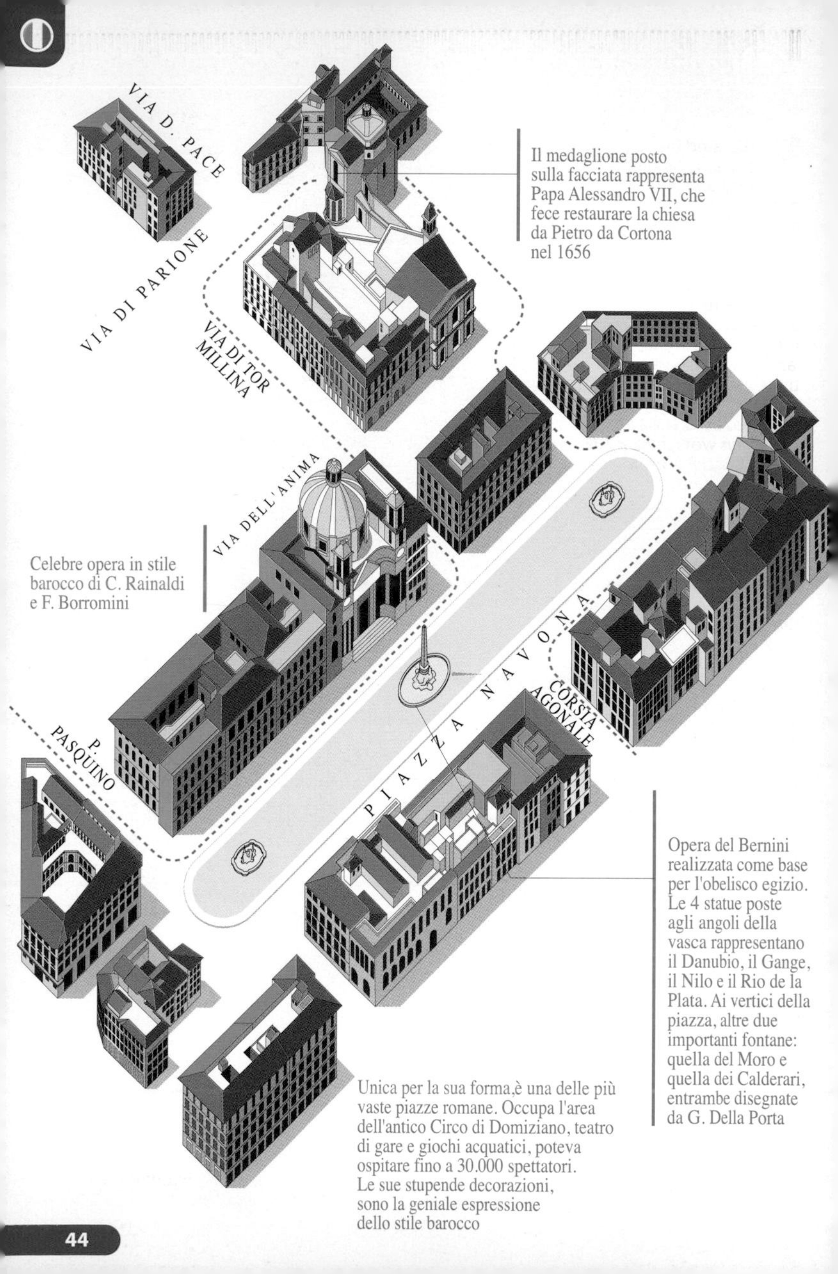
VIA D. PACE
Il medaglione posto sulla facciata rappresenta Papa Alessandro VII, che fece restaurare la chiesa da Pietro da Cortona nel 1656
VIA DI PARIONE
VIA DI TOR MILLINA
VIA DELL'ANIMA
Celebre opera in stile barocco di C. Rainaldi e F. Borromini
PIAZZA NAVONA
CORSIA AGONALE
P. PASQUINO
Opera del Bernini realizzata come base per l'obelisco egizio. Le 4 statue poste agli angoli della vasca rappresentano il Danubio, il Gange, il Nilo e il Rio de la Plata. Ai vertici della piazza, altre due importanti fontane: quella del Moro e quella dei Calderari, entrambe disegnate da G. Della Porta
Unica per la sua forma,è una delle più vaste piazze romane. Occupa l'area dell'antico Circo di Domiziano, teatro di gare e giochi acquatici, poteva ospitare fino a 30.000 spettatori. Le sue stupende decorazioni, sono la geniale espressione dello stile barocco

Piazza Navona

1. Located in the area of the ancient Domitian's Stadium, it is one of the widest squares in Rome. Its present decorations
are exquisite results of the Baroque art.
2. The medallion placed on the façade shows Pope Alexander VII who had the church restored by P. da Cortona in 1656
3. Wonderful work by Bernini, the "Fountain of the rivers", where four figures seated on the rocks represent the Nile, Ganges, Danube and Rio de la Plata. At the end of the square there are two other important fountains: that of the Moro and that of the Calderari, designed by G. Della Porta
4. Famous work in Baroque style by C. Rainaldi and F. Borromini.

1. Unique de par sa forme, cette vaste place occupe l'emplacement de l'Ancien Cirque de Domitien. C'est une des manifestations les plus remarquables du style baroque.
2. Le médaillon placé sur la façade représente le Pape Alexandre VII qui fit restaurer l'église par Pietro da Cortona en 1656.
3. Splendide œuvre du Bernini. Au sommet de la place se trouvent deux autres fontaines importantes: celle du Moro et de Calderari conçues par G. Della Porta.
4. Célèbre oeuvre de style baroque de C. Rainaldi et F. Borromini.

1. Dieser in seiner Form einzigartige Platz nimmt die Fläche des antiken Circus des Domitian ein und ist eine Schatzkammer des Barock.
2. Das Medaillon an der Fassade stellt Papst Alexander VII. dar, der im Jahr 1656 Pietro da Cortona mit der Restaurierung der Kirche beauftragt hatte.

3. Ein großartiges Werk Berninis. An den Stirnseiten des Platzes zwei weitere bedeutende Brunnen: der Mohren- und der Calderari-Brunnen, beide nach Entwürfen von G. Della Porta.
4. Ein berühmtes Werk in barockem Stil von C. Rainaldi und F. Borromini.

1. Esta amplia plaza, única en su forma, ocupa la zona del antiguo Circo de Domiciano. Es una de las expresiones más significativas del estilo barroco.
2. El medallón colocado en la fachada representa a Papa Alejandro VII quien en 1656, hizo restaurar la iglesia a Pietro da Cortona.
3. Espléndida obra de Bernini. En los extremos de la plaza se hallan otras dos fuentes importantes: la del Moro y la de los Caldereros, proyectadas por G. Della Porta.
4. Célebre obra de estilo barroco de C. Rainaldi y F. Borromini.

1. Единственная по своей форме – она одна из самых широких римских площадей. Площадь Навона занимает место древнего Цирка Домициана, театра состязаний и морских игр, и могла вместить до 30.000 зрителей. Ее изумительные украшения являются гениальным выражением барочного стиля.
2. На медальоне, помещенном на фасаде Церкви Пресвятой Девы Марии «Мира», изображен папа Александр VII, поручивший реставрацию церкви Пьетро да Кортона в 1656 г.
3. Фонтан Рек Бернини, созданное на базе египетского обелиска. 4 статуи, помещенные в углах чаши, представляют Дунай, Ганг, Нил и Рио де ля Плата. По сторонам площади еще два важных фонтана: Мавра и Котельщиков, оба созданные Дж. Делла Порта.
4. Церковь Святой Агнессы на Арене - известная работа в стиле барокко К. Раинальди и Ф. Борромини.

Originariamente detto Anfiteatro Flavio,
fu iniziato da Vespasiano fondatore
della dinastia Flaviana, e terminato
dal figlio Tito. Il Colosseo aveva la stessa
funzione di un grande stadio moderno
dove si svolgevano i giochi circensi
e dove in seguito i famosi gladiatori
avrebbero combattuto
fino alla morte

Furono saccheggiate durante
il Rinascimento per costruire
piazze, ponti e parte di S.Pietro

Era una larga terrazza
dove sedevano l'Imperatore
e i membri delle
classi sociali più elevate

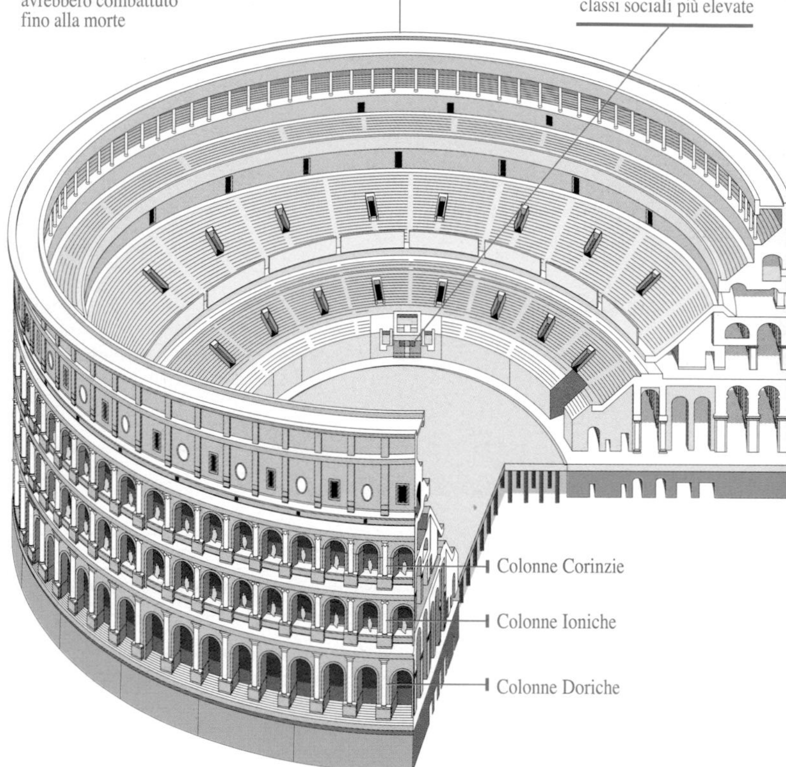

Eretto nel 312 per celebrare la vittoria dell'Imperatore Costantino
su Massenzio a Ponte Milvio, è ubicato sulla Via Sacra. Questa Via
attraversa gran parte dei Fori, dove sono riconoscibili i maestosi
e straordinari resti dell'Impero Romano, dai Fori di Traiano,
di Augusto, di Nerva e di Cesare alle rovine del Foro
Romano come, la Basilica Emilia, la Basilica di Massenzio,
l'Arco di Settimio Severo, il Palatino con la Domus Augustana,
i Templi di Castore e Polluce, di Antonino e Faustina,
di Venere e Roma, la Casa delle Vestali ed altri ancora.

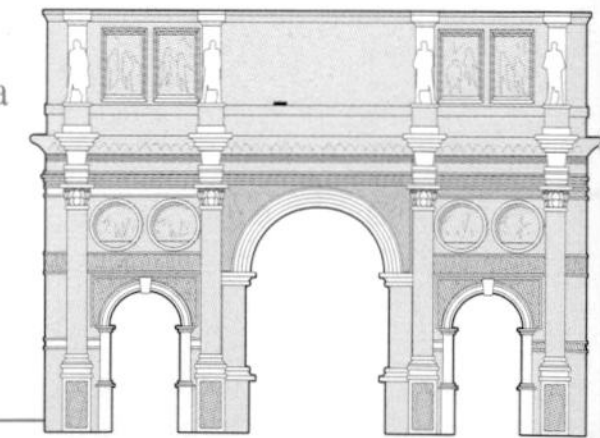

Colosseo

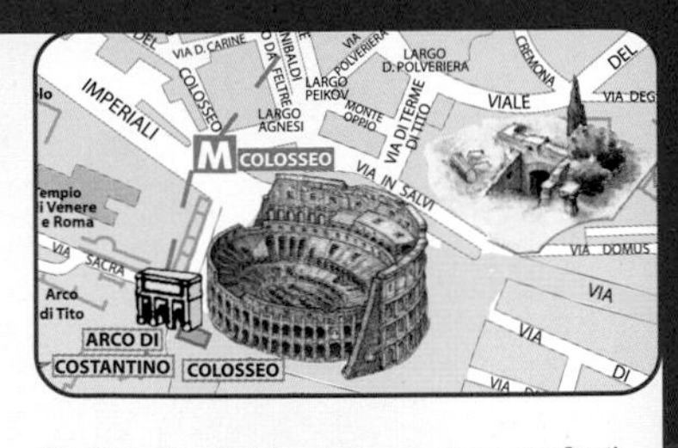

1. Originally called Flavian Amphitheatre, it was begun under Vespasian in 72 A.D. and finished under Titus in 80;
it had the same function as a modern stadium where the games of the Circus (ludi circenses) took place (the origin of the professional gladiators who were trained to fight to the death).
2. They were plundered during the Renaissance to build squares, bridges and a part of St. Peter's Basilica.
3. It was a wide terrace where the Emperor and the members of the highest social classes used to sit.
4. It was built on the Via Sacra in 312 to celebrate the Roman victory over Massentius at Ponte Milvio. The Via Sacra crosses most of the Imperial Forums.

1. Appelé autrefois Amphithéâtre Flavien, il fut commencé par Vespasien et terminé par Titus en 80 après J.-C. A l'intérieur se déroulaient des jeux et des combats dramatiques entre gladiateurs.
2. Elles furent pillées durant la Renaissance pour construire des places, des ponts et une partie de la basilique de Saint Pierre
3. C'était une grande terrasse où siégeaient l'Empereur et les plus hautes classes de la société.
4. Erigé par le peuple romain en l'honneur de la victoire de l'empereur sur Maxence en 312, il est situé sur la Voie Sacrée. La Voie traverse la majeure partie du Forum Impérial où l'on peut reconnaître les vestiges les plus célèbres de l'Empire romain.

1. Ursprünglich wurde es Flavisches Amphitheater genannt. Mit seinem Bau wurde 72 n.Chr. unter Vespasian begonnen, unter Titus wurde es im Jahr 80 vollendet. Hier fanden Circusspiele statt und Gladiatorenkämpfe.
2. Die Außenmauern wurden in der Renaissance teilweise abgetragen, um Plätze, Brücken und einen Teil des Petersdoms damit zu errichten.
3. Dies war eine große Terrasse, auf der der Kaiser und die Angehörigen der obersten gesellschaftlichen Schichten Platz nahmen.
4. Er wurde im Jahr 312 auf der Via Sacra zu Ehren des Siegs des Kaisers Konstantin über Maxentius am Ponte Milvio errichtet. Die "Heilige Straße" durchquert einen Großteil der Foren mit deren großartigen Überresten aus allen Epochen des Römischen Reichs.

1. Originalmente llamado Anfiteatro Flavio, fue comenzado por Vespasiano y terminado por Tito en el año 80 d.C. En su interior se llevaban a cabo juegos y dramáticas luchas entre gladiadores.
2. Fueron saqueadas durante el Renacimiento para construir plazas, puentes y parte de San Pedro.
3. Era una terraza donde se sentaban el Emperador y las clases sociales más altas.
4. Fue erigido por el pueblo romano en honor de la victoria del Emperador sobre Majencio en 312, está ubicado en la Vía Sacra. La vía cruza gran parte del Foro Imperial donde se pueden hallar los extraordinarios restos del imperio romano.

1. Названный первоначально Амфитеатром Флавия, Колизей был начат Веспасианом, основателем династии Флавиев, и закончен его сыном Титом. Колизей исполнял функции большего современного стадиона, в котором проводились цирковые игры и где, впоследствии, знаменитые гладиаторы должны были бороться вплоть до смерти.
2. Внешние стены были разрушены во время эпохи Возрождения для строительства площадей, мостов и части Собора св. Петра.
3. Трибуна была большой террасой, где сидели император и члены высших социальных сословий.
4. Арка Константина возведена в 312 г., чтобы отметить победу Императора Константина над Максенцием на Мосту Мильвио и помещена на Священной улице. Эта улица проходила через большую часть Форумов, где все еще видны величественные и необыкновенные остатки Римского Форума.

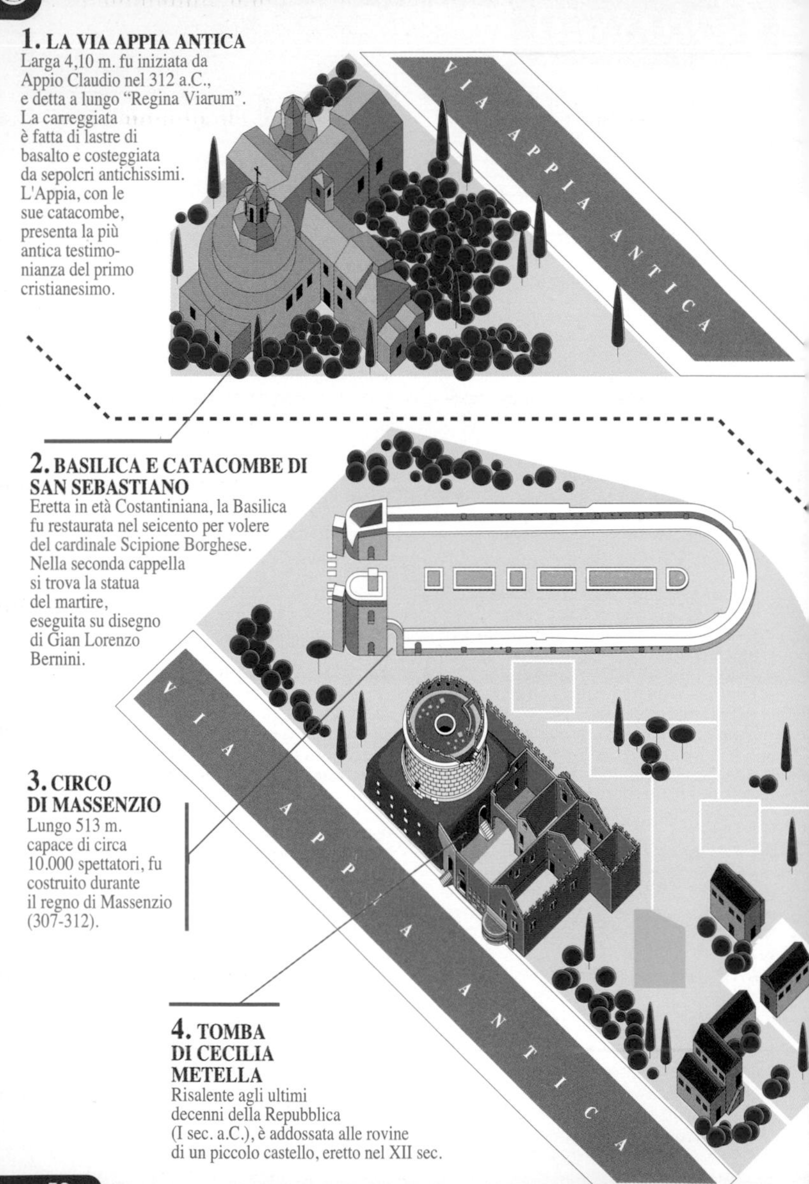

1. LA VIA APPIA ANTICA
Larga 4,10 m. fu iniziata da Appio Claudio nel 312 a.C., e detta a lungo “Regina Viarum”. La carreggiata è fatta di lastre di basalto e costeggiata da sepolcri antichissimi. L'Appia, con le sue catacombe, presenta la più antica testimonianza del primo cristianesimo.

2. BASILICA E CATACOMBE DI SAN SEBASTIANO
Eretta in età Costantiniana, la Basilica fu restaurata nel seicento per volere del cardinale Scipione Borghese. Nella seconda cappella si trova la statua del martire, eseguita su disegno di Gian Lorenzo Bernini.

3. CIRCO DI MASSENZIO
Lungo 513 m. capace di circa 10.000 spettatori, fu costruito durante il regno di Massenzio (307-312).

4. TOMBA DI CECILIA METELLA
Risalente agli ultimi decenni della Repubblica (I sec. a.C.), è addossata alle rovine di un piccolo castello, eretto nel XII sec.

Appia Antica

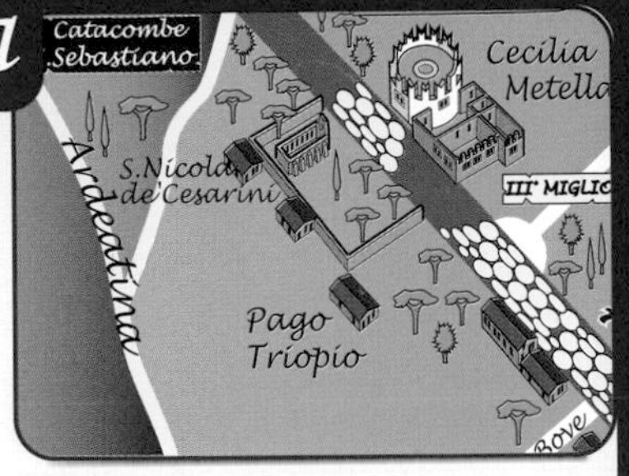

1. Begun in 312 B.C., it was called Regina Viarum (Queen of the Roads) for a long time. Ruins of ancient burials stand at its sides, as well as many catacombs that are the most ancient evidence of the spread of Christianity.
2. It was built under Emperor Constantine (fourth century) and restored in the seventeenth century. The statue of St. Sebastian, a work by G. L. Bernini, can be admired in the second chapel inside the church.
3. It was built under Massentius (307-12). It is 513 meters long and it could contain about 10,000 people.
4. It was built in the first century B.C. to commemorate Cecilia Metella, the daughter of a celebrate Roman commander. It became later a part of a medieval castle.

1. Appelée Regina Viarum elle fut commencée par Appio Claudio en 312 av. J.C.. Elle est bordée par des sépulcres très anciens. Avec ses célèbres Catacombes elle est le témoignage du début du christianisme.
2. Erigée à l'époque de Constantin et restaurée au XVII siècle, elle conserve à l'intérieur la statue du martyre, oeuvre du Bernini.
3. Long de 513 m., capable de contenir plus ou moins 10.000 spectateurs, il fut construit durant le règne de Maxence (307-312).
4. Elle se dresse sur la Voie Appienne et remonte aux années 50 av. J.-C. Transformée durant le Moyen âge en forteresse, elle accueille les ruines d'un petit château du XIIème siècle.

1. 312 v.Chr. begann Appius Claudius mit dem Bau der Straße, und lange Zeit galt sie als die "Regina Viarum" (Königin der Straßen). Sehr alte Grabstätten säumen sie. Ihre berühmten Katakomben sind das älteste Zeugnis aus der Frühzeit des Christentums.
2. Sie wurde in Konstantinischer Zeit errichtet und im 17. Jh. restauriert. In der zweiten Kapelle steht eine Statue des Märtyrers, eine Arbeit des G. L. Bernini.
3. Mit einer Länge von 513 m fasste er etwa 10.000 Zuschauer. Er wurde während der Regentschaft Maxentius' angelegt.
4. Das Grabmal erhebt sich an der Via Appia und stammt aus dem 1. Jh. v.Chr. Später wurde es in eine Festung verwandelt und im 12. Jh. Teil der heute zerstörten anschließenden kleinen Burg.

1. Llamada Regina Viarum, la comenzó Appio Claudio en 312 a.C. Está costeada de sepulcros muy antiguos. Con sus famosas Catacumbas, es una de los testimonios del primer período del cristianismo.
2. Erigida en época de Constantino y restaurada en el s. XVII, conserva en su interior la estatua del mártir, obra de Bernini.
3. Con sus 513 mts. de largo, es capaz de acoger a unos 10.000 espectadores. Fue construido durante el imperio de Majencio (307-312).
4. Se encuentra en la Vía Apia y remonta a los ultimos del año 50 a.C. Durante la Edad Media fue transformada en fuerte. Está arrimada a las ruinas de un pequeño castillo del s. XII.

1. Шириной в 4,10 м., Древняя Аппиева Дорога была начата Аппием Клавдием в 312 г. до Р.Х. и долгое время называлась «Королевой дорог» (Regina Viarum). Проезжая часть была выложена базальтовыми плитами и шла вдоль древнейших захоронений. Аппиева дорога, с ее катакомбами, представляет наиболее древнее свидетельство первого христианства.
2. Храм Святого Себастьяна был построен в эпоху Константина и реставрирован в XVII веке по воле кардинала Сципиона Боргезе. Во второй капелле находится статуя мученика, выполненная по рисунку Джан Лоренцо Бернини.
3. Длиной в 513 м., Цирк Максенция в состоянии был вместить около 10.000 зрителей, и был построен в царствование Максенция (307-312).
4. Могила Цецилии Метеллы восходит к последним десятилетиям Республики (I в. до Р.Х.) и примыкает к развалинам маленького замка, построенного в XII в.

Informazioni utili per il turista

USEFUL INFORMATION FOR TOURISTS - INFORMATIONS UTILES POUR LES TOURISTES - NÜTZLICHE INFORMATIONEN FÜR TOURISTEN - INFORMACIONES UTILES PARA EL TURISTA - ПОЛЕЗНАЯ ИНФОРМАЦИЯ ДЛЯ ТУРИСТА

Alberghi

Hotels - Hôtels
Hoteles - Гостиницы

ADRIATIC, Via Vitelleschi, 25 .... Tel.06.68.80.80.80
ALDROVANDI, Via Aldrovandi, 15 .... Tel. ..06.32.23.993
AMALFI, Via Merulana, 278 .... Tel. ..06.47.44.313
AMBASCIATORI PALACE, Via Vittorio Veneto, 62 .... Tel. 06.47.493
AMERICAN PALACE EUR, Via Laurentina, 554 .... Tel. ..06.59.13.552
ANGLO-AMERICANO, Via Quattro Fontane, 12 .... Tel. 06.47.29.41
ARISTON, Via Turati, 16 .... Tel. ..06.44.65.399
ATLANTE GARDEN, Via Crescenzio, 78 .... Tel. ..06.68.72.361
ATLANTE STAR, Via G. Vitelleschi, 34 .... Tel. ..06.68.73.233
BAROCCO, Via della Purificazione, 4 .... Tel. ..06.48.72.001
BERNINI-BRISTOL, Piazza Barberini, 23 .... Tel. ..06.48.83.051
BEVERLY-HILLS, Largo B. Marcello, 220 .... Tel. ..06.85.42.141
BORROMINI, Via Lisbona, 7 .... Tel. 06.85.25.61
CAMBRIDGE, Via Palestro, 87 .... Tel. ..06.44.56.821
CANADA-BEST WESTERN, Via Vicenza, 58 .... Tel. ..06.44.57.770
CARAVEL, Via Cristoforo Colombo, 124 .... Tel. ..06.51.80.789
CAVOUR, Via Cavour, 47 .... Tel. 06.48.27.318
CELIO, Via SS. Quattro, 35/c .... Tel. .06.70.49.53.33
CICERONE, Via Cicerone, 55/c .... Tel. 06.35.76
CLODIO, Via Santa Lucia, 10 .... Tel. ..06.37.21.122
COLUMBUS, Via della Conciliazione, 33 .... Tel. ..06.68.65.435
CONSUL, Via Aurelia, 727 .... Tel. 06.66.41.80.51
COURTYARD CENTRAL PARK, Via Moscati, 7 .... Tel. 06.35.57.41
CROWNE PLAZA ROME ST. PETER'S,
Via Aurelia Antica, 415 .... Tel. 06.66.420
DEI BORGOGNONI, Via del Bufalo, 126 .... Tel. 06.69.94.15.05
DE LA VILLE, Via Sistina, 67 .... Tel. 06.67.331
DELLE MUSE, Via Salvini, 18 .... Tel. ..06.80.88.333
DELLE NAZIONI, Via Poli, 7 .... Tel. ..06.67.92.441
DIANA, Via Principe Amedeo, 4 .... Tel. 06.47.86.81
EDEN, Via Ludovisi, 49 .... Tel. 06.47.81.21
ELISEO, Via di Porta Pinciana, 30 .... Tel. ..06.48.70.456
ERGIFE, Via Aurelia, 619 .... Tel. 06.66.441
EXCELSIOR, Via Vittorio Veneto, 125 .... Tel. 06.47.081
EXECUTIVE, Via Aniene, 3 .... Tel. ..06.85.37.669
FARNESE, Via A. Farnese, 30 .... Tel. ..06.32.12.553

FLORA, Via Vittorio Veneto, 191 ....Tel.....06.48.99.29
FORUM, Via Tor de' Conti, 25 ....Tel...06.67.92.446
FOUR POINTS SHERATON ROMA
Via Eroi di Cefalonia, 301 ....Tel..06.50.83.41.11
GAMBRINUS, Via Piave, 35 ....Tel...06.48.71.250
GERBER, Via degli Scipioni, 241 ....Tel...06.32.16.485
GRAND HOTEL DE LA MINERVE, P. della Minerva, 69 ....Tel.....06.69.52.01
HASSLER, Piazza Trinità dei Monti, 6 ....Tel.....06.69.93.40
HILTON ROME AIRPORT HOTEL, Via A. Ferrarin, 2 ....Tel..........06.65.258
HILTON GARDEN INN ROME AIRPORT
Via Vittorio Bragadin, 2 ....Tel. 06.65.25.90.00
HOLIDAY INN PARCO dei MEDICI
Viale Castello della Magliana, 65 ....Tel.........06.65.581
HOLIDAY INN ROME-WEST, Via Aurelia, km 8,400 ....Tel. 06.66.41.12.00
IMPERATOR, Via Aurelia, 619 ....Tel. 06.66.41.80.41
IMPERIALE, Via Vittorio Veneto, 24 ....Tel...06.48.26.351
IVANHOE, Via Urbana, 92/a ....Tel.....06.48.68.13
JOLLY-VILLA CARPEGNA, Via Pio IV, 6 ....Tel.....06.39.37.31
JOLLY-VITTORIO VENETO, Corso Italia, 1 ....Tel.........06.84.951
KING, Via Sistina, 131 ....Tel.06.42.01.13.57
LA RESIDENZA, Via Emilia, 22 ....Tel...06.48.80.789
LONDRA E CARGILL, Piazza Sallustio, 18 ....Tel...06.48.80.298
LORD BYRON, Via G. De Notaris, 5 ....Tel...06.32.20.404
MAJESTIC, Via Vittorio Veneto, 50 ....Tel.....06.42.14.41
MARC'AURELIO, Via Gregorio XI, 141 ....Tel...06.66.25.269
MARCELLA ROYAL, Via Flavia, 106 ....Tel. 06.42.01.45.91
MASSIMO D'AZEGLIO, Via Cavour, 18 ....Tel...06.48.70.270
MEDITERRANEO, Via Cavour, 15 ....Tel...06.48.84.051
MICHELANGELO, Via della Stazione di S. Pietro, 14 ....Tel.....06.39.87.39
MIDAS-JOLLY, Via Aurelia, 800 ....Tel.....06.66.39.61
MILANI, Via Magenta, 12 ....Tel...06.44.57.051
MONTEVERDE, Via Monteverde, 86 ....Tel. 06.58.23.00.00
MONTREAL, Via Carlo Alberto, 4 ....Tel...06.44.65.522
NAPOLEON, Piazza Vittorio Emanuele, 105 ....Tel...06.44.67.264
NAZIONALE, Piazza Montecitorio, 131 ....Tel.....06.69.50.01
OLYMPIC, Via Properzio, 2/a ....Tel...06.68.96.650
OXFORD, Via Boncompagni, 89 ....Tel...06.42.03.601
PALATINO, Via Cavour, 213 ....Tel...06.48.24.296
PARCO DEI PRINCIPI, Via G. Frescobaldi, 15 ....Tel.....06.85.44.21
PICCADILLY, Via Magna Grecia, 122 ....Tel. 06.70.47.48.58
PINETA PALACE, Via S. Lino Papa, 35 ....Tel...06.30.13.800
PINEWOOD, Via Pineta Sacchetti, 43 ....Tel.06.66.01.91.82
PISANA PALACE, Via della Pisana, 374 ....Tel.....06.66.69.01
PLAZA, Via del Corso, 126 ....Tel.06.69.92.11.11
PORTAMAGGIORE, Piazza Porta Maggiore, 25 ....Tel...06.70.27.927
PRESIDENT, Via Emanuele Filiberto, 175 ....Tel.....06.77.01.21

PRINCESS, Via Andrea Ferrara, 33 ....Tel.....06.66.49.31
QUIRINALE, Via Nazionale, 7 ....Tel........06.47.071
RAPHAEL, Largo Febo 2 ....Tel.....06.68.28.31
REGENCY, Via Romagna, 42 ....Tel..06.48.19.281
REGINA-BAGLIONI, Via Vittorio Veneto, 72 ....Tel. 06.42.11.11
RINASCIMENTO, Via del Pellegrino, 122 ....Tel..06.68.74.813
ROMA PARK, Via della Caffarelletta, 114.....................................Tel. 06.78.35.95.52
ROME CAVALIERI, Via A. Cadlolo, 101 ....Tel........06.35.091
ROYAL SANTINA, Via Marsala, 22 ....Tel.....06.44.87.51
SAN MARCO, Via Villafranca, 1 ....Tel.....06.49.04.37
SAVOY, Via Ludovisi, 15 ....Tel.....06.42.15.51
SHERATON GOLF, Viale Salvatore Rebecchini, 39 ....Tel........06.65.288
SHERATON ROMA, Viale del Pattinaggio, 100 ....Tel........06.54.531
SUMMIT, Via della Stazione Aurelia, 99 ....Tel.......06.66.50.71
TIZIANO, Corso Vittorio Emanuele II, 110 ....Tel..06.68.65.019
TREVI, Vicolo del Babuccio, 21 ....Tel..06.67.89.563
UNIVERSO, Via Principe Amedeo, 5/b ....Tel. 06.47.68.11
VALADIER, Via Fontanella, 15 ....Tel..06.36.11.998
VILLA PAMPHILI, Via della Nocetta, 105 ....Tel........06.66.021
VISCONTI PALACE, Via Cesi, 37 ....Tel........06.36.841
YORK, Via Cavriglia, 24 ....Tel..06.81.03.809

Ristoranti

Restaurants - Restaurantes
Рестораны

ALFREDO ALLA SCROFA, Via della Scrofa, 104 ....Tel.06.68.80.61.63
AL REGNO DI RE FERDINANDO
Via di Affogalasino, 123/a (closed on Sundays) Tel.06.65.74.53.66
AL 34, Via Mario de' Fiori, 34 (closed on Mondays).................Tel..06.67.95.091
ANDREA, Via Sardegna, 28 (closed on Sundays).....................Tel..06.48.21.891
CAMPONESCHI, Piazza Farnese, 50 (closed on Sundays) .....Tel..06.68.74.927
CANTINA CANTARINI, Piazza Sallustio, 12
(closed on Sundays)..Tel.....06.48.55.28
CHARLY'S SAUCIÈRE, Via S. Giovanni in Laterano, 270
(closed on Sundays) ....Tel..06.70.49.56.66
CHECCO ER CARRETTIERE, Via Benedetta, 10
(closed on Mondays)...Tel. ...06.58.17.018
CUL DE SAC, Piazza Pasquino, 73 (closed on Mondays) ....Tel. 06.68.80.10.94
DAL BOLOGNESE, P.za del Popolo, 1 (closed on Mondays) ...Tel....06.36.11.426
DAL TOSCANO, Via Germanico, 58 (closed on Mondays) ....Tel. 06.39.72.57.17
DA LUCIA, Vicolo del Mattonato, 2/b (closed on Mondays) ...Tel...06.58.03.601
DUE LADRONI, Piazza Nicosia, 24 (open every day).............Tel...06.68.61.013
EVANGELISTA, V. d. Zoccolette, 11 (closed on Sundays) ......Tel...06.68.75.810
FALCHETTO, Via Montecatini, 12 (closed on Fridays) ....Tel...06.67.91.160
FORTUNATO, Via del Pantheon, 55 (closed on Sundays)........Tel...06.67.92.788
IL COLONNATO, Piazza S. Uffizio, 8 (open every day) ....Tel...06.68.65.371

LES ETOILES, Via Vitelleschi, 34(open every day) ....Tel...06.68.73.233
OSTERIA PICCHIONI, Via del Boschetto, 16
(closed on Wednesdays) ....Tel...06.48.85.261
OTELLO, Via della Croce, 81 (closed on Sundays) ....Tel...06.67.91.178
PAPÀ BACCUS, Via Toscana, 36 (closed on Sundays)............Tel.06.42.74.28.08
PORTO DI RIPETTA, Via di Ripetta, 250
(closed on Sundays)..Tel...06.36.12.376
ROMOLO LA FORNARINA, Via Porta Settimiana, 8
(closed on Mondays) ....Tel...06.58.18.284
SANS SOUCIS, Via Sicilia, 20 (closed on Mondays) Tel.06.42.01.25.58
TAVERNA GIULIA, Vicolo dell'Oro, 23 (closed on Sundays) .Tel...06.68.69.768
VECCHIA ROMA, Piazza Campitelli, 18 ....Tel...06.68.64.604

Monumenti

Monuments - Denkmäler
Monumentos - Памятники

COLOSSEO FORO ROMANO e PALATINO,
Piazza del Colosseo, 1 ....Tel.06.39.96.77.00
Orario: Inverno/Winter 8.30-16.30; Estate/Summer 8.30-19.00 - 51, 75, 81, 85, 87, 117, 810 - Tram: 3 M B
FORO TRAIANO, Via dei Fori Imperiali
40, 60, 64, 70, 117, 170
MERCATI DI TRAIANO, Via IV Novembre, 94 ....Tel. 06.06.08
Orario: 9.00-19.00; Lunedì chiuso/Closed on Mondays
40, 60, 64, 70, 117, 170
PANTHEON, Piazza della Rotonda ....Tel. 06.68.30.02.30
Orario: 9.00-19.30; Domenica/Sunday 9.00-18.00 30, 40, 46, 62, 63, 64, 70, 81, 87, 116, 492, 628, 780, 810, 916
TERME DI CARACALLA, Via Terme di Caracalla, 52 ....Tel.06.39.96.77.00
Orario: 9.00-16.30; Lunedì 9.00-14.00 - 118, 160, 628
TOMBA DI CECILIA METELLA, Via Appia Antica, 161 ......Tel.06.39.96.77.00
Orario 9.00-18.30; Lun. chiuso/ Closed on Mondays 660

Gallerie www.ticketeria.it

Picture Galleries - Galeries
Galerien - Galerias - Галереи

BORGHESE (MUSEO)
Piazzale del Museo Borghese, 5 ....Tel....... 06.32.810
Orario: 8.30-19.30; Lunedì chiuso/Closed on Mondays - 53, 63, 83, 89, 116, 204, 223, 360, 490, 495, 910
DORIA PAMPHJLI, Via del Corso, 305 ....Tel.. 06.67.97.323
Orario: 9.00-19.00 - 51, 62, 63, 80, 81, 83, 85, 116, 117, 160, 492, 628
NAZIONALE ARTE ANTICA (PALAZZO BARBERINI)
Via IV Fontane, 13 ....Tel....... 06.32.810
Orario: 8.30-19.00; Lunedì chiuso/Closed on Mondays
53, 61, 62, 63, 80, 83, 85, 95, 116, 160, 492, 590 M A

NAZIONALE D'ARTE MODERNA, Viale Belle Arti, 131 ...Tel.06.32.29.82.21
Orario: 8.30-19.30; Lunedì chiuso/Closed on Mondays
Tram: 3, 19

SPADA, Piazza Capo di Ferro, 13 ....Tel....... 06.32.810
Orario: 8.30-19.30; Lunedì chiuso/Closed on Mondays
40, 46, 62, 64, 70, 81, 87, 116, 492, 628, 916

Musei

Museums - Musées
Museen - Museos - Музеи

ALTO MEDIO EVO, Viale Lincoln, 3....................................Tel.06.54.22.81.99
Orario: 9.00-14.00; Mercoledì, Giovedì e Domenica /Wednesday, Thursday and Sunday 9,00-19,30; Lunedì chiuso/Closed on Mondays
30, 170, 703, 707, 714, 765, 791 M B

BARRACCO DI SCULTURA ANTICA
Corso Vittorio Emanuele II, 166/a ....Tel......... 06.06.08
Orario: Inverno/Winter: 10.00-16.00
Estate/Summer: 13.00-19.00; Lunedì chiuso/Closed on Mondays
H, 30, 40, 46, 62, 63, 64, 70, 81, 87, 116, 492, 628, 780, 810, 916 Tram: 8

CAPITOLINI
Piazza del Campidoglio, 1 ....Tel...........06.06.08
Orario: 9.00-20.00; Lunedì chiuso/Closed on Mondays
H, 30, 40, 44, 46, 51, 60, 62, 63, 64, 70, 80, 81, 83, 85, 87, 117, 160, 170, 492, 628, 715, 716, 780, 781, 810, 916 - Tram: 8

CASTEL S. ANGELO
Lungotevere Castello, 50..Tel.........06.32.810
Orario: 9.00-19.30; Lunedì chiuso/Closed on Mondays
23, 34, 40, 46, 49, 62, 64, 98, 115, 116, 280, 492, 870, 881, 916, 982, 990 M A

NAZIONALE ROMANO (CRYPTA BALBI),
Via delle Botteghe Oscure, 31 ....Tel. 06.39.96.77.00
Orario: 9.00-19.45; Lunedì chiuso/Closed on Mondays
H, 30, 40, 44, 46, 51, 60, 62, 63, 64, 70, 80, 81, 83, 85, 87, 117, 160, 170, 492, 628, 715, 716, 780, 781, 810, 916 Tram: 8

NAZIONALE ETRUSCO VILLA GIULIA
Piazzale di Villa Giulia, 9..Tel...06.32.26.571
Orario: 8.30-19.30; Lunedì chiuso/Closed on Mondays
Tram: 19 M A

PALAZZO VENEZIA
Via del Plebiscito, 118.. Tel...06.67.80.131
Orario 8.30-19.30; Lunedì chiuso/Closed on Mondays
H, 30, 40, 44, 46, 51, 60, 62, 63, 64, 70, 80, 81, 83, 85, 87, 117, 160, 170, 492, 628, 715, 716, 780, 781, 810, 916 - Tram: 8

PREISTORICO ED ETNOGRAFICO PIGORINI
Piazzale Guglielmo Marconi, 14 .... Tel..... 06.54.95.21
Orario: 9.00-18.00; Domenica/Sunday Orario: 9,00-13,30
30, 170, 703, 707, 714, 765, 791 M B

VATICANI
Viale Vaticano, 13 ....Tel. 06.69.88.46.76
Orario: 9,00-16,00; Domenica chiuso/Closed on Sundays. Ultima domenica del mese aperto (entrata gratuita) Orario: 9,00-13,00. Open on every last Sunday of the month (free entrance). 23, 32, 49, 81, 492, 982, 990, 991 - Tram: 19 M A

PALAZZO ALTEMPS, Piazza Sant'Apollinare, 46 ....Tel.06.39.96.77.00
Orario: 9.00-19.45; Lunedì chiuso/Closed on Mondays
30, 70, 81, 87, 116, 492, 628

PALAZZO DELLE ESPOSIZIONI, Via Nazionale, 194.........Tel 06.39.96.75.00
Orario: 10.00-20.00; Ven. e Sab./Friday and Saturday - Orario: 10.00-22.30; Lunedì chiuso/Closed on Mondays
H, 40, 60, 64, 70, 71, 117, 170

MACRO, Via Nizza, 138 ....Tel.06.67.10.70.400
Orario: 11.00-19.00; Lunedìchiuso/Closed on Mondays
Sabato/Saturday Orario: 11,00-22,00 - 38, 80, 89

MUSEO CIVICO DI ZOOLOGIA, Via Aldrovandi, 18 ....Tel.06.67.10.92.70
Orario: 9.00-19.00; Lunedì chiuso/Closed on Mondays - 223, 910 Tram: 3, 19

MUSEO DELLE CERE, Piazza S.S. Apostoli, 68/a ....Tel...06.67.96.482
Orario: 9.00-21.00 64, 75, 85, 87, 170, 810 M B

ORTO BOTANICO, Largo Cristina di Svezia, 24 ....Tel 06.49.91.71.07
Orario: Domenica chiuso/Closed on Sundays - Inverno /Winter 9.00-17.30; Estate/Summer 9.00-18.30; - 23, 115, 116, 280, 870

BIOPARCO, V.le del Giardino Zoologico, 1 ....Tel. ..06.36.08.211
Orario: Inv./Wint. 9.30-17.00; Est./Sum. 9.30-18.00;
223, 910 - Tram: 3, 19 M A

Chiese

Churches - Églises - Kirchen
Iglesias - Церкви

CHIESA DEL GESÙ, Piazza del Gesù ....Tel 06.69.70.01
Orario: 7.00-12.30/16.00-19.00
H, 30, 40, 46, 62, 63, 64, 70, 81, 87, 492, 628, 780, 810, 916 - Tram: 8

SAN GIOVANNI IN LATERANO
Piazza San Giovanni in Laterano, 4 ....Tel.06.69.88.64.33
Orario: 7.00-18.30 16, 51, 81, 85, 87, 117, 218, 650, 665, 673, 714, 717, 792 - Tram: 3 M A

SAN LORENZO FUORI LE MURA, Piazzale del Verano, 3 .Tel...06.44.66.184
Orario: 7.30-12.15/15.00-18.30 71, 88, 93, 163, 492, 542, 545 - Tram: 3, 19.

SAN LUIGI DEI FRANCESI P.za S. Luigi dei Francesi, 5 .....Tel. 06.68.82.71
Orario: 8.30-12.30/15.30-19.00 - Giovedì chiuso/Closed on Thursdays
30, 70, 81, 87, 116, 492, 628

SAN MARCELLO AL CORSO, Piazza San Marcello, 5 ....Tel.06.69.93.02.21
Orario: 8.00-12.00/16.00-20.00; Domenica/Sunday 8.30-11.00/16.00-18.00
51, 62, 63, 80, 81, 83, 84, 85, 116, 117, 160, 492, 628, 850

SAN PAOLO FUORI LE MURA, Piazzale San Paolo............Tel.06.69.88.08.00
Orario: 7.00-18.00 - 23, 128, 670, 766, 769, 792 M B

SAN PIETRO IN VATICANO, Piazza San Pietro Tel.06.69.88.55.18
Orario Basilica: 7.00-19.00 23, 32, 49, 62, 64, 81, 492, 982, 990, 991 - Tram: 19 M A (Ottaviano - S. Pietro - Musei Vaticani)

SANT'AGNESE IN AGONE, Piazza Navona, 24.....................Tel.06.68.19.21.34
Orario: 19.00; Domenica/Sunday 12.15-19.00
30, 40, 46, 62, 64, 70, 81, 87, 116, 492, 628, 916

SANT'ANDREA DELLA VALLE, P. S. Andrea della Valle, 1 Tel...06.68.61.339
Orario: 7.30-12.30/16.30-19.30
H, 30, 40, 46, 62, 63, 64, 70, 81, 87, 116, 492, 628, 780, 810, 916 - Tram: 8

S. ANDREA AL QUIRINALE, Via del Quirinale, 29...............Tel...06.47.40.807
Orario: 8.30-12.00/15.30-19.00; Domenica/Sunday 9.00-12.00/16.00-19.00
40, 60, 64, 70, 170

SANT'ANDREA DELLE FRATTE, V. S.Andrea d. Fratte, 1 .Tel...06.67.93.191
Orario: 7.00-19.00 - 116, 117 M A (Spagna)

SANT'IGNAZIO DI LOYOLA, Piazza di Sant'Ignazio, 1 ......Tel...06.67.94.406
Orario: 7.30-12.30; 15.00-19,15 51, 62, 63, 80, 81, 83, 85, 116, 117, 160, 492, 628

SANT'IVO ALLA SAPIENZA, Corso del Rinascimento, 40...Tel...06.68.64.987
Orario: 9.00-12.00. Luglio e Agosto chiuso/Closed on July and August
30, 70, 81, 87, 116, 492, 628

SANTA CROCE IN GERUSALEMME
Piazza di S. Croce in Gerusalemme, 12 ....Tel...06.70.14.769
Orario: 6.45-19.00 - 649 - Tram: 3 M A (S. Giovanni)

SANTA MARIA DEI MIRACOLI, Via del Corso, 528 ....Tel...06.36.10.250
Orario: 6.00-13.00/16.00-19.30; Domenica/Sunday 8.00-13.00/16.30-19.30
117 M A (Flaminio)

SANTA MARIA DEL POPOLO, Piazza del Popolo, 12 ....Tel...06.36.10.836
Orario: 7.00-12.00/16.00-19.00; Domenica/Sunday 8.00-14.00/16.30-19.30
61, 89, 117, 160, 490, 495, 590, 628 - Tram: 2 M A (Flaminio)

SANTA MARIA IN ARA COELI, Piazza del Campidoglio, 4 ....Tel....06.67.98.155
Orario: 7.00-12.00/16.30-17.30 - H, 30, 40, 44, 46, 51, 60, 62, 63, 64, 70, 80, 81, 83, 85, 87, 117, 160, 170, 492, 628, 715, 716, 780, 781, 810, 916 - Tram: 8

SANTA MARIA IN MONTESANTO, Via del Babuino, 197 ..Tel...06.36.10.594
Orario: 16.00-19.00 - Chiuso Agosto/Closed on August
61, 89, 117, 160, 490, 495, 590, 628 - Tram: 2 M A (Flaminio)

SANTA MARIA IN TRASTEVERE, P. S. M. in Trastevere....Tel...06.58.14.802
Orario: 7.30-13.00/16.00-19.00 - 23, 125, 271, 280

SANTA MARIA IN TRIVIO, Piazza dei Crociferi, 49 ....Tel...06.67.89.645
Orario: 8.00-12.00/16.00-19.30
51, 53, 62, 63, 71, 80, 81, 83, 85, 116, 117, 160, 492, 628

SANTA MARIA MAGGIORE, P. di Santa Maria Maggiore....Tel 06.69.88.68.00
Orario: 7.00-18.00; Affreschi/Frescos 9.00-17.00
16, 70, 71, 75, 105, 117, 360, 590, 649, 714, 717 Tram: 5, 14 M A (Termini)

SANTA MARIA SOPRA MINERVA
Piazza della Minerva, 42 ....Tel. .06.67.91.217
Orario: 7.00-12.00/16.00-18.00; Chiostri/Cloisters 8.30-13.00/16.00-19.00
30, 40, 46, 62, 64, 70, 81, 87, 116, 492, 628, 630, 916

SANTI VINCENZO E ANASTASIO
Vicolo dei Modelli, 73 ....Tel...06.67.83.098
Orario: 7.30-12.00/16.00-19.00
53, 62, 63, 71, 80, 83, 85, 116, 117, 160, 492, 590 A
SANTI XII APOSTOLI, Piazza dei Santi Apostoli, 51 ....Tel.06.69.92.19.51
Orario: 6.30-12.00/16.00-19.15 - H, 30, 40, 44, 46, 51, 60, 62, 63, 64, 70, 80, 81, 83, 85, 87, 117, 160, 170, 492, 628, 630, 715, 716, 780, 781, 810, 916 - Tram: 8
SS. TRINITÀ DEI MONTI
Piazza Trinità dei Monti, 3 ....Tel...06.67.94.179
Orario: 9.30-18.30 - 53, 62, 63, 71, 80, 83, 85, 116, 117, 160, 492 A (Spagna)

Catacombe

Catacombs - Catacombes
Katakomben - Catacumbas
Катакомбы

PRISCILLA, Via Salaria, 430 ....Tel 06.86.20.62.72
Orario: 8.30-12.00/14.30-17.00; Lunedì chiuso/Closed on Mondays
63, 83, 92, 310
SANT'AGNESE, Via Nomentana, 349 ....Tel...06.86.10.840
Orario: 9.00-12.00/16.00-18.00; Dom. mattina e Lun. pomeriggio chiuso/Closed on Sundays morning and Mondays afternoon 60, 82, 90 B1
SAN CALLISTO, Via Appia Antica, 126 ....Tel....06.51.30.151
Orario: 9.00-12.00/14.00-17.00; Mercoledì chiuso/Closed on Wednesdays
118, 218
SANTA DOMITILLA, Via delle Sette Chiese, 282 ....Tel...06.51.10.342
Orario: 9.00-12.00/14.00-17.00; Martedì chiuso/Closed on Tuesday
218, 716, 717
SAN SEBASTIANO, Via Appia Antica, 136 ....Tel...06.78.50.350
Orario: 10.00-16.30; Domenica chiuso/Closed on Sundays
118, 218, 660

Farmacie notturne

Pharmacies open at night
Pharmacies nocturnes
Nachtapotheken - Farmacias nocturnas - Ночные аптеки

ALLO STATUTO (Esquilino), Via dello Statuto, 35 ....Tel...06.44.65.788
BRIENZA, Piazza Risorgimento, 44..Tel.06.39.73.81.86
COLA DI RIENZO (Prati), Via Cola di Rienzo, 213 ....Tel...06.32.43.130
DR. RIZZO (Flaminio), Corso Francia, 176..............................Tel...06.32.91.650
IANNOTTA (Aurelio), Piazza Pio XI, 30 ....Tel.....06.63.27.90
IMBESI (Eur), Viale Europa, 76 ....Tel...06.59.25.509
INTERNAZIONALE, Piazza Barberini, 49 ....Tel...06.48.71.195
LATTANZI (Aurelio), Via Gregorio VII, 154/A........................Tel.....06.63.09.35
PIRAM, Via Nazionale, 228...Tel...06.48.71.584
SALUS, Viale Trastevere, 229 ....Tel...06.58.82.273
SAN PAOLO (Ostiense), Via Ostiense, 168 ....Tel...06.57.50.143
SENATO, Piazza Madama, 9 ....Tel.06.68.80.37.60
SPADAZZI (Flaminio), Piazza Ponte Milvio, 15 ....Tel...06.33.33.753

TARIFFE AUTOBUS

Bus underground and urban railway fares
Tarifs d'autobus, métro et chemin de fer
Fahrpreise für Bus, U-Bahn und S-Bahn - Tarifas autobús, metro y ferrocarriles urbanos - Билеты на автобусы и метро

ATAC - MET.RO. - TRAMBUS Info...Tel. 06.57.003
CO.TRA.L Info ....Tel. 800.174.471

BIGLIETTI : BIT - Biglietto integrato a tempo valido 100 minuti sull'intera rete Bus e Tram ATAC, sui tratti all'interno del Comune di Roma dei Bus, delle Ferrovie MET.RO. ed una sola corsa sulla Metro: € 1,50. **ROMA 24H** - VALIDO 24 ORE DALLA PRIMA TIMBRATURA E PER UN NUMERO ILLIMITATO DI VIAGGI NEL TERRITORIO DI ROMA CAPITALE. € 7,00. **ROMA 48H** - VALIDO 48 ORE DALLA PRIMA TIMBRATURA E PER UN NUMERO ILLIMITATO DI VIAGGI NEL TERRITORIO DI ROMA CAPITALE. € 12,50. **ROMA 72H** - VALIDO 72 ORE DALLA PRIMA TIMBRATURA E PER UN NUMERO ILLIMITATO DI VIAGGI NEL TERRITORIO DI ROMA CAPITALE. € 18,00. **ABBONAMENTI: Abbonamento mensile** ordinario per Metro, Bus e Ferrovia urbana: € 35,00 **Abbonamento annuale** ordinario per Metro, Bus e Ferrovia urbana: € 250,00. **Carta integrata settimanale** (CIS) per Metro, Bus e Ferrovia urbana: € 24,00 - I biglietti e gli abbonamenti mensili e settimanali possono essere acquistati presso le rivendite di tabacchi, bar e giornalai che espongono l'apposito cartello. L'abbonamento annuale può essere acquistato anche in banca.

TICKETS: BIT - Integrated time ticket, valid for 100 minutes from first stamping. It can be used on all Busses, Trams and Urban railway MET.RO. and includes one Underground trip: € 1,50. **ROMA 24H** - VALID FOR 24 HOURS FROM THE FIRST VALIDATION FOR UNLIMITED TRAVEL ON THE TERRITORY OF ROMA CAPITAL. € 7,00. **ROMA 48H** - VALID FOR 48 HOURS FROM THE FIRST VALIDATION FOR UNLIMITED TRAVEL ON THE TERRITORY OF ROMA CAPITAL. € 12,50. **ROMA 72H** - VALID FOR 72 HOURS FROM THE FIRST VALIDATION FOR UNLIMITED TRAVEL ON THE TERRITORY OF ROMA CAPITAL. € 18,00. **SEASON TICKETS: Monthly season ticket** (standard rate) for Underground, Bus and Urban railway: € 35,00. **Annual season ticket** (standard rate) for Underground, Bus and Urban railway: € 250,00. **Integrated weekly ticket** (CIS) for Underground, Bus and Urban railway: € 24,00. Tickets can be purchased at tobacconists', cafeterias' and newsagents showing the relative notice. The annual season ticket can also be purchased at banks.

BILLETS: BIT - Billet valable 100 minutes sur tout le réseau Autobus, Tram, Chemin de fer urbain MET.RO. de Rome pour un voyage en Métro: € 1,50. **ROMA 24H** - BILLET VALABLE 24 HEURES À COMPTER DE LA PREMIÈRE OBLITÉRATION ET POUR UN NUMÉRO ILLIMITÉ DE VOYAGES DANS LE TERRITOIRE DE ROME CAPITALE. € 7,00. **ROMA 48H** - BILLET VALABLE 48 HOURS À COMPTER DE LA PREMIÈRE OBLITÉRATION ET POUR UN NUMÉRO ILLIMITÉ DE VOYAGES DANS LE TERRITOIRE DE ROME CAPITALE. € 12,50. **ROMA 72H** - BILLET VALABLE 72 HOURS À COMPTER DE LA PREMIÈRE OBLITÉRATION ET POUR UN NUMÉRO ILLIMITÉ DE VOYAGES DANS LE TERRITOIRE DE ROME CAPITALE. € 18,00.
ABONNEMENTS: Abonnement mensuel (tarif normal) pour le Métro, le Bus et le Trafic Ferroviaire urbain: € 35,00. **Abonnement annuel** (tarif normal) pour le Métro, le Bus et le Trafic Ferroviaire urbain: € 250,00. **Carte forfaitaire hebdomadaire** (CIS) pour le Métro, le Bus et le Trafic Ferroviaire urbain: € 24,00 Les voyageurs peuvent acheter les billets et les abonnements dans les tabacs, les cafés ou les kiosques à journaux.

FAHRKARTEN: BIT - die integrierte Fahrkarte hat eine Gültigkeit von 100 Minuten im gesamten Bus- und Straßenbahnnetz, auf den S-Bahnlinien im Stadtgebiet und für eine Fahrt mit der U-Bahn: € 1,50. DIE TAGESKARTE **ROMA 24H** - € 7,00 - IST AB DER ENTWERTUNG BEI ANTRITT DER ERSTEN FAHRT FÜR ALLE ÖFFENTLICHEN VERKEHRSMITTEL IM STADTGEBIET DER HAUPTSTADT ROM 24 STUNDEN LANG GÜLTIG. DIE 2-TAGE-KARTE **ROMA 48H** - € 12,50 - IST AB DER ENTWERTUNG BEI ANTRITT DER ERSTEN FAHRT FÜR ALLE ÖFFENTLICHEN VERKEHRSMITTEL IM STADTGEBIET DER HAUPTSTADT ROM 48 STUNDEN LANG GÜLTIG. DIE 3-TAGE-KARTE **ROMA 72H** - € 18,00 - IST AB DER ENTWERTUNG BEI ANTRITT DER ERSTEN FAHRT FÜR ALLE ÖFFENTLICHEN VERKEHRSMITTEL IM STADTGEBIET DER HAUPTSTADT ROM 72 STUNDEN LANG GÜLTIG. **ABONNEMENTS:** normale Monatskarte für Bus, Straßenbahn, U-Bahn und S-Bahn: € 35,00. Normale Jahreskarte für Bus, Straßenbahn, U-Bahn und S-Bahn: € 250,00. Integrierte Wochenkarte (CIS) für Bus, Straßenbahn, U-Bahn und S-Bahn: € 24,00. Die Fahrkarten, Monats- und Wochenkarten sind in den Tabakläden, Bars und Zeitungsständen mit dem entsprechenden Verkaufsschild erhältlich, die Jahreskarte auch in Banken.

BILLETES: BIT - Billete integrado para 100 minutos de todo el recorrido Autobús, Tranvía, Ferrocarriles urbanos MET.RO. de la ciudad de Roma y además una parada de Metro: € 1,50. **ROMA 24H** - VÁLIDO 24 HORAS DESDE LA PRIMERA VALIDACIÓN Y PARA UN NÚMERO ILIMITADO DE VIAJES EN EL TERRITORIO DE ROMA CAPITAL. € 7,00. **ROMA 48H** - VÁLIDO 48 HORAS DESDE LA PRIMERA VALIDACIÓN Y PARA UN NÚMERO ILIMITADO DE VIAJES EN EL TERRITORIO DE ROMA CAPITAL. € 12,50. **ROMA 72H** - VÁLIDO 72 HORAS DESDE LA PRIMERA VALIDACIÓN Y PARA UN NÚMERO ILIMITADO DE VIAJES EN EL TERRITORIO DE ROMA CAPITAL. € 18,00.
ABONOS: Abono mensual ordinario para Metro, Autobuses, y Ferrocarril urbano: € 35,00. **Abono anual** ordinario para Metro, Autobuses, y Ferrocarril urbano: € 250,00. **Tarjeta semanal integrada** (CIS) para Metro, Autobuses, y Ferrocarril urbano: € 24,00. Los billetes y abonos pueden adquirirse en estancos, bares, y quioscos que tengan el cartel exposto

БИЛЕТЫ: BIT - Одноразовый билет действителен в течение 100 минут по всей линии Автобусов и Трамваев АТАС, по внутренней сети Римской коммуны Автобусов, Городской Ж.Д. (MET.RO.) и один только рейс на МЕТРО: € 1,50. **РИМ 24 Ч.** - € 7,00 - БИЛЕТ ДЕЙСТВИТЕЛЕН 24 ЧАСА С МОМЕНТА ПЕРВОГО КОМПОСТИРОВАНИЯ И ДЛЯ НЕОГРАНИЧЕННОГО ЧИСЛА ПОЕЗДОК ПО ТЕРРИТОРИИ РИМСКОЙ СТОЛИЦЫ. **РИМ 48 Ч.** - € 12,50 - БИЛЕТ ДЕЙСТВИТЕЛЕН 48 ЧАСОВ С МОМЕНТА ПЕРВОГО КОМПОСТИРОВАНИЯ И ДЛЯ НЕОГРАНИЧЕННОГО ЧИСЛА ПОЕЗДОК ПО ТЕРРИТОРИИ РИМСКОЙ СТОЛИЦЫ. **РИМ 72 Ч.** - €18,00 - БИЛЕТ ДЕЙСТВИТЕЛЕН 72 ЧАСА С МОМЕНТА ПЕРВОГО КОМПОСТИРОВАНИЯ И ДЛЯ НЕОГРАНИЧЕННОГО ЧИСЛА ПОЕЗДОК ПО ТЕРРИТОРИИ РИМСКОЙ СТОЛИЦЫ. **АБОНЕМЕНТЫ:** Обычный **месячный абонемент** на Метро, Автобус, Трамвай и Городскую Ж.Д.: € 35,00 - Обычный **годовой абонемент** на Метро, Автобус, Трамвай и Городскую Ж. Д.: € 250,00 - **Интегральная недельная карточка** (CIS) на Метро, Автобус, Трамвай и Городскую Ж. Д.: € 24,00
Билеты, месячные и недельные абонементы можно купить в тех табачных лавках, барах и газетных киосках, в которых вывешены соответствующие объявления. Годовой абонемент можно приобрести также и в банке.

Addresses of public interest
Adresses d'intérêt public
Nützliche Telefonnummern - Servicios de público interés - Полезные указания

	☎
CARABINIERI	112
POLIZIA (Police)	113
VIGILI DEL FUOCO (Firemen)	115
GUARDIA DI FINANZA	117
PRONTO SOCCORSO (First aid)	118
AEROPORTI (Airports) Fiumicino (Leonardo da Vinci)	06.65.951
Ciampino	06.65.951
Info Voli - ADR	06.65.951
Info Voli - ALITALIA	892.010
AMBULANZE (Ambulances)	06.55.10
ATAC - TRAMBUS - METRO (Information)	06.57.003
COMUNE DI ROMA (Municipality of Rome)	06.06.06
CO.TRA.L (Information)	800.174.471
FERROVIE DELLO STATO (Railways)	892.021
Sito Internet.	www.trenitalia.com
RADIOTAXI	06.41.57 - 06.66.45 - 06.49.94
	06.88.22 - 06.55.51 - 06.35.70
SERVIZI TURISTICI, CULTURA, SPETTACOLI (Tourist Services, Culture and Shows)	06.06.08
SOCCORSO ACI (Road assistance)	803.116
SOCCORSO STRADALE VAI (Road assistance)	803.803
VIGILI URBANI (Policeman)	06 67.691

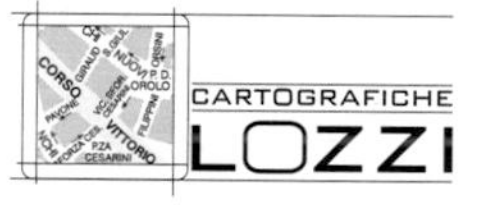

Via R. R. Pereira, 8 - Roma - tel. 06.45.59.98.50 - fax 06.45.59.98.57
info@edizionicartografichelozzi.it - www.edizionicartografichelozzi.it
www.gruppolozzi.it
STAMPA: RICCI ARTI GRAFICHE - Roma

04.15